Mon histoire
des femmes

Michelle Perrot

Mon histoire
des femmes

France Culture
Éditions du Seuil

Les vingt-cinq émissions de la série *Histoire des femmes*
ont été diffusées sur France Culture du 28 février
au 1er avril 2005 dans une réalisation
de Pierrette Perrono.

ISBN 978-2-7578-0797-2
(ISBN 2-02-086666-8, 1re publication)

Note de l'éditeur

Il paraît que les femmes ont leur jour. Un seul dans l'année pendant lequel les médias parlent d'elles, les hommes politiques font des discours leur rendant hommage et celles et ceux qui préfèrent le réel aux vanités commémoratives rappellent que la femme n'est toujours pas l'égale de l'homme, la femme subit plus que l'homme le chômage, la précarité de l'emploi, la femme est moins payée, moins considérée, moins reconnue que l'homme dans les principaux domaines de la société : n'oublions pas la faible représentativité des femmes en politique ainsi que leur tout petit nombre dans l'exercice du pouvoir.

Les temps changeraient-ils ? Les femmes ont-elles la cote ? Être femme constitue-t-il une discrimination positive ? Ou est-ce seulement un engagement de circonstance ?

Ce qui est sûr, c'est que les femmes ont une histoire et que ce n'est que tardivement qu'elles ont commencé à la construire puis à se l'approprier.

Michelle Perrot fut l'une des initiatrices en France de ce mouvement d'historiennes qui donnent aux femmes et aux hommes la dimension de l'action des femmes dans le passé, l'évolution de leur statut, les luttes et les stratégies pour acquérir leur indépendance.

Il était évident que Michelle Perrot, toujours aussi impliquée dans le mouvement des femmes et aussi enthousiaste et généreuse, était pour France Culture la femme qui pouvait croquer l'histoire des femmes.

Elle le fit avec énergie et amour. Cette série radiophonique remporta un vif succès – nombreuses furent les personnes qui demandèrent alors que ses paroles soient fixées par écrit: leur vœu est aujourd'hui exaucé.

I
—

Écrire l'histoire des femmes

Itinéraire

La première histoire que je voudrais vous raconter, c'est celle de l'histoire des femmes. Aujourd'hui, elle paraît évidente. Une histoire « sans les femmes » semble impossible. Pourtant, elle n'a pas toujours existé. Du moins au sens collectif du terme : pas seulement des biographies, des vies de femmes, mais les femmes, dans leur ensemble, et dans la longue durée. Elle est relativement récente ; en gros, elle a trente ans. Pourquoi cela ? Pourquoi ce silence ? Et comment s'est-il dissipé ?

De cette histoire, j'ai été le témoin et, avec beaucoup d'autres, l'actrice. À ce titre, je voudrais dire un mot de mon expérience, parce que, à certains égards, elle est significative du passage du silence à la parole et du changement d'un regard qui, justement, fait l'histoire, ou du moins fait émerger de nouveaux objets dans le récit qu'est l'histoire, rapport sans cesse renouvelé entre le passé et le présent.

L'histoire des femmes n'a pas été mon souci premier, pas plus que les femmes, d'ailleurs. Dans mon adolescence, ce que je voulais, c'était accéder au monde des hommes, celui du savoir et celui du travail et de la profession. Du côté de ma famille, je ne rencontrai pas d'obstacle. Mes parents étaient résolument égalitaires, féministes sans théorie, et me poussaient aux études et même à l'ambition. Dans l'université d'après-guerre, celle des années 1950, à la Sorbonne, les professeurs étaient tous des hommes. Mais les étudiantes étaient de plus en plus nombreuses, même si elles s'arrêtaient souvent en chemin ; et je ne rencontrai pas de discrimination particulière. Lorsque, en 1949, parut *Le Deuxième Sexe* de Simone de Beauvoir, ce fut un scandale. J'étais résolument de son côté. Mais la lecture partielle que j'en fis alors ne me bouleversa pas. Je n'en vis la richesse que plus tard.

L'économique et le social dominaient cette période austère de la Reconstruction, l'horizon de la société comme celui de l'Histoire. Nous discutions communisme, marxisme, existentialisme. La classe ouvrière nous paraissait la clef de notre destin et de celui du monde, en même temps que « la plus nombreuse et la plus pauvre », comme disait le comte de Saint-Simon, symbole de toutes les oppressions, victime glorieuse d'une intolérable injustice. Écrire son histoire était une façon de la rejoindre. À la Sorbonne, Ernest Labrousse – l'autre « grand », avec Fernand Braudel – développait cette histoire. Je fis, sous sa direction, une thèse sur les « ouvriers en grève », où les femmes n'occupaient qu'un chapitre. Au contraire de l'émeute de subsistances, la grève est, au XIXe siècle du moins, un acte viril. Cette dissymétrie me frappa, comme la dérision dont elles étaient l'objet. Pourtant, je ne m'y attardai pas vraiment. J'étais beaucoup plus sensible aux problèmes que rencontraient les travailleurs les moins qualifiés ou les étrangers. À la xénophobie plus qu'au sexisme ouvrier.

L'histoire des femmes, j'y suis venue dans les années 1970, dans la foulée de Mai 68 et surtout du mouvement des femmes, que j'ai vécus de plein fouet à la Sorbonne, où j'étais assistante, puis à Paris VII-Jussieu, université nouvelle, ouverte aux innovations de toutes sortes. Bien entendu, ce ne fut pas en vertu d'une soudaine illumination. En vingt ans, les choses avaient changé, et moi aussi. Engagée dans le mouvement des femmes, je souhaitais connaître leur histoire, et la faire, puisqu'elle n'existait pas, ou si peu. Il existait une réelle demande à cet égard. Devenue professeure, après mon doctorat, je pouvais prendre des initiatives. En 1973, avec Pauline Schmitt et Fabienne Bock, nous fîmes un premier cours sous le titre «Les femmes ont-elles une histoire?», dont l'intitulé dit nos incertitudes et traduit notre embarras. Nous n'étions pas certaines que les femmes aient une histoire, d'autant plus que le structuralisme de Claude Lévi-Strauss avait insisté sur leur rôle dans la reproduction et dans la parenté : «Échange des biens, échange des femmes.» Nous ne savions pas comment l'enseigner. Nous n'avions ni matériaux ni méthodes. Tout juste des interrogations. Nous avons fait appel aux sociologues, plus avancées que nous[1], et à nos collègues historiens[2] en leur posant la question des femmes dans l'histoire qu'ils avaient faite. Le cours fut un grand succès. Le mouvement était lancé. Il ne s'arrêterait plus. Je laisserai là pour l'instant cette évocation d'une historiographie dont nous allons mesurer le chemin et apprécier les résultats dans la suite du récit. Cet itinéraire qui fut le mien, d'une découverte, d'un avènement, s'inscrit dans un mouvement collectif. Pour m'en tenir au plan universitaire, je signalerai des initiatives identiques et parallèles à Aix-

1. Andrée Michel ouvrit le cours par un exposé sur «les modèles de la famille», que des étudiants contestèrent parce qu'ils se méprenaient sur le sens du mot «modèle» : de modèles familiaux, ils ne voulaient plus, dirent-ils. Andrée Michel les rassura.
2. Pierre Vidal-Naquet, Jacques Le Goff, Emmanuel Le Roy Ladurie, Jean-Louis Flandrin, pionnier dans l'étude des sexualités, Mona Ozouf, Jean Chesneaux nous apportèrent leur concours.

en-Provence[1], à Toulouse[2], à Paris-VIII[3], à Lyon (en psychologie sociale), etc. Le mouvement était antérieur et bien plus intense à l'étranger : aux États-Unis, en Grande-Bretagne, le rôle des *Women's Studies* était précurseur[4] et nous le suivions avec un vif intérêt. Il se développa rapidement, avec des variantes, aux Pays-Bas, en Allemagne (autour de l'université de Bielefeld et de l'Université libre de Berlin), en Italie où il eut une originalité et une vitalité remarquables, un peu plus tard en Espagne, au Portugal, etc. Bref : ce fut, c'est un mouvement mondial, aujourd'hui particulièrement vivant au Québec, en Amérique latine (surtout au Brésil), en Inde, au Japon... Le développement de l'histoire des femmes accompagne en sourdine le « mouvement » des femmes vers leur émancipation et leur libération. Il est la traduction, l'effet d'une prise de conscience encore plus vaste : celle de la dimension sexuée de la société et de l'histoire.

En trente ans, se sont déjà succédé plusieurs générations intellectuelles. Elles ont produit, par des thèses, des livres, une accumulation qui a cessé d'être « primitive ». Il existe aujourd'hui une revue : *Clio. Histoire, femmes et sociétés*; des associations[5]; de nombreux colloques et ouvrages de synthèse. À Blois, les *Rendez-*

---

1. Yvonne Knibiehler avait fondé, avec ses collègues, le premier *Bulletin d'information et d'études sur les femmes*, le *BIEF*, et organisé le premier colloque (1975), « Les femmes et les sciences humaines ». Ses travaux sur la maternité, la naissance, les femmes et les médecins, les infirmières et assistantes sociales, notamment, font autorité.

2. Avec Rolande Trempé et Marie-France Brive.

3. Avec Claude Mossé, Madeleine Rebérioux, Béatrice Slama.

4. Grâce à Françoise Basch, professeure de civilisation anglo-américaine à l'institut Charles-V (Paris-VII), le lien fut établi avec la recherche anglo-américaine dès le début des années 1970.

5. Mnémosyne, la SIEFAR (Société internationale pour l'étude des femmes de l'Ancien Régime), Archives du féminisme (centre des archives à Angers).

vous de l'histoire (2004) ont connu un grand succès sur le thème « Les femmes dans l'histoire ».

L'histoire des femmes a changé. Dans ses objets, dans ses points de vue. Elle est partie d'une histoire du corps et des rôles privés pour aller vers une histoire des femmes dans l'espace public de la Cité, du travail, de la politique, de la guerre, de la création. Elle est partie d'une histoire des femmes victimes pour aller vers une histoire des femmes actives, dans les multiples interactions qui font le changement. Elle est partie d'une histoire des femmes, pour devenir davantage une histoire du genre, qui insiste sur les relations entre les sexes et intègre la masculinité. Elle a élargi ses perspectives spatiales, religieuses, culturelles.

De tout cela, je voudrais vous rendre compte. Le plus largement possible. Car cette histoire des femmes n'est pas « mon » histoire des femmes. Ce possessif n'implique aucune propriété.

Sans volonté d'une exténuante exhaustivité, je voudrais tirer des fils dans cette immense toile. Autour de quelques thèmes : « Le silence et les sources » ; « Le corps » ; « L'âme » ; « Travail et création » ; « Femmes dans la Cité ». Avec des exemples, des figures, des histoires choisis dans un espace-temps le plus large possible. Malgré tout, par la force des choses, et celle de ma compétence propre, ils seront pris davantage dans l'histoire de la France et de l'Occident contemporains.

En filigrane, toujours cette question : qu'est-ce qui a changé dans les rapports entre les sexes, dans la différence des sexes représentée et vécue ? Comment, sinon pourquoi ? Et pour quels effets ?

Le silence rompu

Écrire l'histoire des femmes, c'est sortir du silence où elles étaient plongées. Mais pourquoi ce silence ? Et d'abord : les femmes ont-elles seulement une histoire ?

La question peut paraître étrange. « Tout est histoire », disait George Sand, comme plus tard Marguerite Yourcenar : « Tout est l'histoire. » Pourquoi les femmes n'appartiendraient-elles pas à l'histoire ?

Tout dépend du sens que l'on donne au mot « histoire ». L'histoire, c'est ce qui se passe, la suite des événements, des changements, des révolutions, des évolutions, des accumulations qui tissent le devenir des sociétés. Mais c'est aussi le *récit* que l'on en fait. Les Anglais distinguent *story* et *history*. Les femmes ont été longtemps hors de ce récit, comme si, vouées à l'obscurité d'une inénarrable reproduction, elles étaient hors du temps, du moins hors événement. Enfouies dans le silence d'une mer abyssale.

Ce silence profond, les femmes n'y sont certes pas seules. Il enveloppe le continent perdu des vies englouties dans l'oubli où s'abolit la masse de l'humanité. Mais il pèse plus lourdement encore sur elles. Et ceci pour plusieurs raisons.

L'invisibilité

D'abord, parce qu'on voit moins les femmes dans l'espace public, le seul qui pendant longtemps méritait intérêt et récit. Elles œuvrent dans la famille, confinées dans la maison, ou ce qui en tient lieu. Elles sont invisibles. Pour beaucoup de sociétés, l'invisibilité et le silence des femmes font d'ailleurs partie de l'ordre des choses. C'est la garantie d'une cité paisible. Leur apparition en groupe fait peur. Chez les Grecs, c'est la *stasis*, le désordre[1]. Leur parole publique est indécente. « Les femmes doivent demeurer dans le silence, dit l'apôtre Paul. Car Adam a été formé le premier, Ève ensuite. Et ce n'est pas Adam qui a été séduit, c'est la femme qui, séduite, est tombée dans la transgression[2]. » Elles doivent payer leur faute d'un silence éternel.

Même le corps des femmes effraie. On le préfère voilé. Les hommes sont des individus, des personnes, ils ont des noms qu'ils transmettent. Certains sont « grands », de « grands hommes ». Les femmes n'ont pas de nom, tout juste un prénom. Elles apparaissent confusément, dans la pénombre de groupes obscurs. « Les femmes et les enfants », « d'abord », ou à côté, ou en dehors, selon les cas : l'expression classique traduit cette globalisation. Au début de *Tristes Tropiques*, Claude Lévi-Strauss décrit un village après le départ des hommes pour la chasse : il n'y avait plus personne, dit-il, excepté les femmes et les enfants.

Parce qu'on les voit peu, on en parle peu. Et c'est une deuxième raison de silence : *le silence des sources*. Les femmes laissent peu de traces directes, écrites ou matérielles. Leur accès à l'écriture a été plus tardif. Leurs productions domestiques sont rapidement consommées, ou plus aisément dispersées. Elles-mêmes détruisent, effacent leurs traces parce qu'elles estiment que ces vestiges n'ont pas d'intérêt. Elles ne sont, après tout, que des femmes, dont la vie compte peu. Il y a même une pudeur féminine qui s'étend jusqu'à la mémoire. Une dévalorisation des femmes par elles-mêmes. Un silence consubstantiel à la notion d'honneur.

---

1. À ce sujet, voir les travaux de Nicole Loraux.
2. Première Épître à Timothée, 2, 12-14.

Quant aux observateurs, ou aux chroniqueurs, très généralement masculins, ils leur prêtent une attention réduite, ou guidée par des stéréotypes.

Certes, on parle des femmes, mais en général. «Les femmes sont…», «La Femme est…». La prolixité du discours sur les femmes contraste avec l'absence d'informations précises et circonstanciées. De même leurs images. Produites par les hommes, elles nous disent sans doute plus sur les rêves ou les peurs des artistes que sur les femmes réelles. Les femmes sont imaginées, représentées, avant que d'être décrites ou racontées. Voilà une seconde raison de silence et d'obscurité : la dissymétrie sexuelle des sources, variable, par ailleurs, inégale selon les époques, et sur laquelle il nous faudra revenir.

Mais *le silence le plus profond est celui du récit*. Le récit de l'histoire tel que le constituent les premiers historiens grecs ou romains concerne l'espace public : les guerres, les règnes, les hommes «illustres», du moins les «hommes publics». Il en va pareillement des chroniques médiévales et des histoires saintes : elles parlent des saints plus que de saintes. Et puis, les saints agissent, évangélisent, voyagent. Les femmes préservent leur virginité et prient. Ou accèdent à la gloire du martyre qui est honneur somptueux.

Les reines mérovingiennes, si cruelles, les dames galantes de la Renaissance, les courtisanes de toutes époques font rêver. Il faut être pieuse ou scandaleuse pour exister.

Au XVIIIe et surtout au XIXe siècle, l'histoire devient plus scientifique et professionnelle. Fait-elle davantage de place aux femmes et aux rapports entre les sexes ? Un peu plus. Michelet parle des femmes dans l'histoire de France : la terrible régence de Catherine de Médicis montre les inconvénients des femmes au pouvoir. La Saint-Barthélemy serait presque, à ses yeux, un effet de la transgression des genres. Tandis que l'intervention des femmes de la Halle, les 5 et 6 octobre 1789, illustre leur rôle positif lorsqu'elles se comportent en mères et en ménagères[1]. Sa vision de l'histoire est très influencée par sa représentation des rôles des sexes. Il valorise la «femme du peuple», car «il n'y a rien de plus peuple que la femme», dit-il. Et c'est ainsi que les femmes apparaissent dans les «manuels scolaires» de la IIIᵉ République. En dehors de Jeanne d'Arc, seule véritable héroïne nationale, ces manuels parlent fort peu des femmes[2].

La principale nouveauté vient du côté des auteures qu'a étudiées une jeune historienne, Isabelle Ernot[3]. Elles s'appellent Louise de Kéralio, auteure des *Crimes des reines de France* (1791), Laure d'Abrantès, Hortense Allart, Mme de Renneville, femmes souvent d'origine aristocratique qui tentent de gagner leur vie par leur plume. Elles sont, au XIXᵉ siècle, de plus en plus nombreuses à écrire des biographies de femmes: reines, saintes, courtisanes, «femmes exceptionnelles», dont le destin troue la nuit des femmes. Blanche de Castille, Jeanne d'Albret, Mme de Maintenon, et surtout Marie-Antoinette, «fléau et sangsue des Français» pour les unes, reine malheureuse pour d'autres qui tentent de la réhabiliter, et à laquelle Olympe de Gouges avait dédié la *Déclaration des droits de la femme et de la citoyenne*, les retiennent d'abord. Mais on note aussi quelques tentatives pour saisir l'évo-

---

1. Jules Michelet, *Histoire de la Révolution française*, Paris, Gallimard, coll. «Bibliothèque de la Pléiade», t. I, p. 254: «Les femmes furent à l'avant-garde de notre Révolution. Il ne faut pas s'en étonner. Elles souffraient davantage.»

2. Denise Guillaume, *Le Destin des femmes à l'École. Manuels d'histoire et société*, Paris, L'Harmattan, 1999; Françoise et Claude Lelièvre, *L'Histoire des femmes publiques contée aux enfants*, Paris, PUF, 2001.

3. Isabelle Ernot, «Historiennes et enjeux de l'écriture de l'histoire des femmes, 1791-1948», thèse de l'université Paris-VII, 2004.

lution de la condition des femmes sur une plus longue durée. Ainsi Olympe Audouard publie *Gynécologie. La Femme depuis six mille ans* (1873), où elle s'interroge sur le rôle du christianisme dans cette évolution. C'est l'indice d'un intérêt pour le sujet qui s'affirme notamment sous le second Empire, clérical et conservateur, comme un défi au cléricalisme de Mgr Dupanloup et à la misogynie de Pierre-Joseph Proudhon.

Entre les deux guerres, les femmes accèdent à l'université. Et plusieurs manifestent leur intérêt pour l'histoire des femmes et surtout pour celle du féminisme : Marguerite Thibert ou Édith Thomas[1], par exemple. Mais elles demeurent marginales par rapport à la révolution historiographique que constitue l'«école des *Annales*». Ainsi appelle-t-on le noyau constitué par Marc Bloch et Lucien Febvre, autour de la revue du même nom.

Très novatrice, cette école rompit avec une vision trop exclusivement politique de l'histoire. Mais l'économique et le social demeuraient ses priorités. Elle était assez indifférente à la différence des sexes, qui ne constituait pas à ses yeux une catégorie d'analyse. Lucien Febvre publia pourtant un brillant essai sur Marguerite de Navarre : *Amour sacré, amour profane : autour de l'Heptaméron* (1944), qui ébauche une histoire du sentiment amoureux et même du viol : velléité qui ne fut guère suivie par la deuxième génération des *Annales*, celle d'Ernest Labrousse et de Fernand Braudel.

1. Marguerite Thibert (1886-1982) soutient une des premières thèses d'histoire sur les saint-simoniennes. Édith Thomas (1909-1970) est l'auteure de nombreux ouvrages sur les femmes de 1848, Pauline Roland, George Sand, Louise Michel. La biographie de Dorothy Kaufmann, *Édith Thomas. A Passion for Resistance*, Cornell University Press, 2004, sera traduite en 2006 aux éditions Autrement.

Comment les choses ont-elles changé? Comment est née une « histoire des femmes », où elles sont devenues matière première, à la fois objets et sujets du récit?

Naissance d'une histoire des femmes[1]

Elle est advenue en Grande-Bretagne et aux États-Unis dans les années 1960 et en France une décennie plus tard. Plusieurs séries de facteurs imbriqués – scientifiques, sociologiques, politiques – ont concouru à l'émergence de l'objet « femme », dans les sciences humaines en général et en histoire en particulier. Je les évoquerai brièvement.

Facteurs scientifiques: il s'opère, autour des années 1970, un renouvellement du questionnement, lié à la crise des systèmes de pensée (marxisme, structuralisme), à la modification des alliances disciplinaires et à la montée de la subjectivité. L'histoire renoue avec l'anthropologie et redécouvre la famille, dont la démographie historique, en plein essor, mesure toutes les dimensions. À travers natalité, nuptialité, âge au mariage, mortalité, elle saisissait, sans du reste s'y attacher, la dimension sexuée des comportements. Incidemment, se posait la question des femmes comme sujets. La démarche d'un Georges Duby, venu à l'histoire des femmes par la voie anthropologique, illustre ce cheminement. Après avoir scruté le fonctionnement du mariage féodal au XIIe siècle, dans *Le Chevalier, la Femme et le Prêtre*[2], il s'interroge: « Mais les femmes? Que sait-on d'elles?», question qu'il met désormais au cœur de son enquête.

---

1. Sur cette historiographie, cf. Françoise Thébaud, *Écrire l'histoire des femmes*, Fontenay-aux-Roses, ENS éditions, 1998.
2. Georges Duby, *Le Chevalier, la Femme et le Prêtre. Le mariage dans la France féodale*, Paris, Hachette, 1981.

Par le biais de la famille s'immisçaient de nouveaux personnages : les enfants, les jeunes ; d'autres questionnements : les âges
de la vie, le privé, auquel Philippe Ariès et Georges Duby consa-
crèrent une série de grande ampleur[1], où les femmes étaient nécessairement présentes. Après l'histoire de la folie, Michel Foucault
entreprenait celle de la sexualité[2], où il prévoyait un volume sur « la
femme hystérique ». La « Nouvelle Histoire » (ainsi appelle-t-on la
troisième génération des *Annales*) multipliait les objets dans un
« vertige des foisonnements[3] » qu'on a parfois taxé d'« émiette-
ment », mais qui était à coup sûr favorable à l'innovation. Le cli-
mat intellectuel change. La manière d'écrire l'histoire aussi.

Il existe des *facteurs sociologiques* : à savoir, la présence des
femmes à l'université. Comme étudiantes : elles représentent près
du tiers des effectifs dans les années 1970. Comme enseignantes :
après avoir été longtemps « indésirables », elles se fraient une voie
après la Seconde Guerre mondiale et constituent aujourd'hui près
du tiers des effectifs. Cette féminisation pouvait être le ferment
d'une demande renouvelée. Du moins d'une écoute favorable.

Les *facteurs politiques*, au sens large du terme, furent décisifs.
Le Mouvement de libération des femmes, développé à partir des
années 1970[4], ne visait pas d'abord l'université ; il avait bien

---

1. *Histoire de la vie privée. De l'Antiquité à nos jours*, Philippe Ariès et
Georges Duby (dir.), Paris, Seuil, 5 vol., 1986-1987. J'ai moi-même dirigé
le volume consacré au XIXᵉ siècle.

2. Michel Foucault, *La Volonté de savoir*, t. 1 de *Histoire de la sexualité*,
Paris, Gallimard, 1976.

3. Selon l'expression d'Alain Corbin, lui-même « historien du sensible » et
représentatif de cette évolution. Après sa thèse sur *Archaïsme et modernité en
Limousin au XIXᵉ siècle* (Paris, Marcel Rivière, 1975), son premier livre porte sur
Les Filles de noce. Misère sexuelle et prostitution au XIXᵉ siècle (Paris, Aubier, 1978).

4. Françoise Picq, *Libération des femmes. Les années-mouvement*, Paris,
Seuil, 1993.

d'autres soucis que l'histoire ; mais il s'appuyait sur les intellectuelles, les lectrices de Simone de Beauvoir qui croyaient en avoir
fini avec *Le Deuxième Sexe*. Il a eu des effets de savoir, au moins
de deux manières. D'abord, en quête d'ancêtres et de légitimité,
par son désir de retrouver des traces et de les rendre visibles, il a
initié un «travail de mémoire» qui n'a cessé de se développer
depuis lors dans l'ensemble de la société. À plus long terme, ce
mouvement a eu des ambitions plus théoriques. Il entendait cri-
tiquer les savoirs constitués, qui se donnaient comme universels
en dépit de leur caractère souvent masculin. Il y eut, dans les
années 1970-1980, une volonté de «rupture épistémologique»
qui toucha principalement les sciences sociales et humaines, mais
effleura aussi les mathématiques[1].

Ainsi naquit le désir d'un autre récit, d'une autre histoire.

Les femmes représentées : discours et images

Pour écrire l'histoire, il faut des sources, des documents, des
traces. Et c'est une difficulté pour l'histoire des femmes. Leur
présence est souvent gommée, leurs traces, effacées, leurs archives,
détruites. Il y a un déficit, un manque de traces.

D'abord, par défaut d'enregistrement. Par le langage même. La
grammaire y contribue. En cas de mixité, elle use du masculin pluriel : *ils* dissimule *elles*. En cas de grèves mixtes, par exemple, on
ignore le plus souvent le nombre de femmes.

---

1. Autour de l'association «Femmes et sciences» de Claudine Hermann,
par exemple. Il s'agissait moins du contenu des mathématiques que de leurs
conditions sexuées d'enseignement.

Les statistiques sont souvent asexuées. Notamment dans le domaine économique, les statistiques industrielles, ou celles du travail. La sexuation des statistiques est relativement récente et demandée par des sociologues du travail féministes. N'est-il pas nécessaire de connaître pour analyser ? On retrouve aujourd'hui des problèmes analogues au sujet des origines ethniques, dont l'identification déchire, plus gravement, le milieu des démographes.

Par le mariage, les femmes perdaient leur nom, du moins en France, mais pas seulement. Il est souvent difficile, voire impossible, de reconstituer des lignées féminines. L'enquête démographique dite TRA, initiée par Jacques Dupâquier, qui a établi la généalogie des familles dont le patronyme commence par *Tra*, pour étudier les phénomènes de mobilité sociale, a pour cette raison dû renoncer aux femmes. Le recul du mariage, la possibilité de choisir son patronyme et celui qu'on lègue à ses enfants compliqueront sans doute l'avenir des démographes et des généalogistes. Cette révolution du nom est riche de sens.

De manière générale, lorsque les femmes apparaissent dans l'espace public, les observateurs sont décontenancés ; ils les voient en masse ou en groupe, ce qui correspond d'ailleurs souvent à leur mode d'intervention collective : elles interviennent en tant que mères, ménagères, gardiennes des subsistances, etc. On use de stéréotypes pour les désigner et les qualifier. Les commissaires de police parlent de « mégères » ou de « viragos » pour désigner les manifestantes, presque toujours dites « hystériques » si elles profèrent le moindre cri. La psychologie des foules prête aux foules une identité féminine, susceptible de passion, de nervosité, de violence, voire de sauvagerie.

La destruction des traces opère aussi. Elle est socialement et sexuellement sélective. Dans un couple dont l'homme est célèbre, on conservera les papiers du mari, pas ceux de sa femme. Ainsi on a gardé les lettres de Tocqueville à son épouse ; pas celles que celle-ci lui adressait. Jusqu'à une date récente, on négligeait les archives privées. Les dépôts publics accueillaient avec réticence des papiers qu'ils ne savaient comment gérer. Passe encore pour les hommes politiques ou les écrivains. Mais les gens ordinaires ? Et, qui plus est, des femmes ? En réaction contre cette attitude s'est créée, il y a une dizaine d'années, sous l'impulsion de Philippe Lejeune, une association destinée à accueillir et à promouvoir le dépôt des archives privées.

Opère aussi une autodestruction de la mémoire féminine. Pénétrées de leur insignifiance, étendant à leur vie passée le sentiment de pudeur qu'on leur avait inculqué, bien des femmes, au soir de leur existence, détruisaient – ou détruisent – leurs papiers personnels. Brûler ses papiers, dans l'intimité de la chambre désertée, est un geste classique de la femme âgée.

Toutes ces raisons expliquent qu'il y ait un manque de sources non pas sur les femmes, encore moins sur *la femme* ; mais sur leur existence concrète et leur histoire singulière. Au théâtre de la mémoire, les femmes sont ombre légère.

Le flot des discours

Il y a en revanche abondance, voire surabondance, de discours sur les femmes ; avalanche d'images, littéraires ou plastiques, la plupart du temps œuvre des hommes, et dont on ignore le plus souvent ce que les femmes en pensaient, comment elles les voyaient ou les ressentaient.

Des femmes, on parle. Sans cesse, de manière obsessionnelle. Pour dire ce qu'elles sont, ou ce qu'elles devraient faire. Ainsi du côté des philosophes. Françoise Collin, Évelyne Pisier et Eleni

Varikas ont réalisé une *anthologie critique*[1] de textes traitant moins de la différence des sexes, peu abordée par la philosophie, que des femmes. «La question de la sexuation se présente toujours dans le texte philosophique comme une question de femmes, portant sur les femmes.» Car la différence vient d'elles, de leur écart à la norme masculine. «Leur sexe et le nôtre», comme dit Rousseau; «nous et elles». Textes d'hommes surtout: cinquante-cinq hommes pour quatre femmes, ce qui correspond à la dissymétrie sexuelle du discours philosophique. Ce livre fournit des extraits de grands classiques, parfois difficiles à trouver, classés par ensembles: la pensée grecque, celle des Pères de l'Église et des théologiens, celle des philosophes des Lumières, la pensée anglaise, très novatrice, et allemande, Proudhon et l'école de Francfort (Adorno); Freud, paradoxalement peu disert sur la féminité, est présent avec un texte rare.

Feuilletons cette anthologie, occasion de prendre contact, pour ne plus trop y revenir, avec le flot de ces discours. Voici Aristote ou le penseur de la dualité des genres. De tous les philosophes grecs, et à la différence de Platon, il est celui qui établit de la manière la plus radicale la supériorité masculine[2]. Les femmes se meuvent aux limites de la cité et de la sauvagerie, de l'humain et de la brute. Elles sont une menace potentielle pour la vie harmonieuse de la collectivité. Comment les tenir à l'écart? Les femmes ne sont pas seulement différentes: modelage inachevé, homme manqué, elles sont incomplètes, défectueuses. La froideur de la femme s'oppose à la chaleur de l'homme. Elle est nocturne, il est solaire. Elle est passive et lui, actif. L'homme est

---

1. Françoise Collin, Évelyne Pisier et Eleni Varikas, *Les Femmes de Platon à Derrida. Anthologie critique*, Paris, Plon, 2000.
2. Françoise Héritier, *Masculin/Féminin. I. La Pensée de la différence*, Paris, Odile Jacob, 1996.

créateur, par son souffle, le *pneuma*, et par sa semence. Dans la génération, la femme n'est qu'un vase dont on peut attendre seulement qu'elle soit un bon réceptacle. La pensée d'Aristote façonne pour longtemps la pensée de la différence des sexes. Elle est reprise avec des modulations par la médecine grecque, celle de Galien. Et au Moyen Âge par le théologien Thomas d'Aquin.

Paul (dans la première Épître à Timothée) prescrit aux femmes le silence : « Que les femmes demeurent en silence et dans une entière soumission lorsqu'on les instruit. Je ne permets pas aux femmes d'enseigner, ni de prendre autorité sur leurs maris. »

Pour Bossuet, il y a homologie entre l'absolutisme conjugal et l'absolutisme royal : « Ève est malheureuse et maudite dans tout son sexe. » Et, à titre de consolation : « Les femmes n'ont qu'à se souvenir de leur origine ; et sans trop vanter leur délicatesse, songer après tout qu'elles viennent d'un os surnuméraire où il n'y avait de beauté que celle que Dieu voulut y mettre. »

Sur ces racines religieuses de la hiérarchie sexuelle, nous aurons l'occasion de revenir. Les Lumières et la science ne sont pas toujours meilleures conseillères. Nombre de philosophes trouvent dans les sciences naturelles et la médecine des arguments supplémentaires pour démontrer l'infériorité des femmes. De Rousseau à Auguste Comte : « ... on ne peut sérieusement contester aujourd'hui l'évidente infériorité relative de la femme, bien autrement impropre que l'homme à l'indispensable continuité aussi bien qu'à la haute intensité du travail mental, soit en vertu de la moindre force intrinsèque de son intelligence, soit à raison de sa plus vive susceptibilité morale et physique. » Et je ne parle pas de Proudhon, dont la volonté de différenciation hiérarchique est encore plus systématique.

Il y a heureusement des voix plus consolantes. Ainsi, celle de Condorcet : le plus égalitaire. Il préconise l'admission des femmes au droit de cité et à la science : « Les femmes ont les mêmes droits que les hommes ; elles ont donc celui d'obtenir les mêmes facilités pour obtenir les mêmes lumières qui seules peuvent leur donner les moyens d'exercer réellement ces droits avec une même indépendance et dans une égale étendue. »

Mon propos n'est pas aujourd'hui d'étudier la pensée philosophique de la différence des sexes : immense question[1]. Mais de dire la présence des femmes dans le discours savant, comme elles sont présentes dans le discours populaire, romanesque ou poétique. D'elles, il est tant parlé.

L'avalanche des images

Et on les peint, on les représente depuis la nuit des temps, des grottes de la préhistoire, où l'on ne cesse de déchiffrer leurs traces, aux magazines et aux publicités contemporaines. Les murs de la ville sont saturés d'images de femmes. Mais que nous disent-elles sur leur vie et leurs désirs ?

Le problème des images a été posé, notamment, par les historiens de l'Antiquité – Paul Veyne – ou du Moyen Âge – Georges Duby –, impressionnés par le silence des femmes dans les époques qu'ils étudiaient. Dans *Les Mystères du gynécée*, magnifique analyse de la fresque de la villa des Mystères à Pompéi, Paul Veyne s'interroge sur ce que ces représentations disent des femmes et de leur désir. « Le regard n'est pas simple, dit-il, et la relation entre la condition des femmes et l'image de la femme l'est encore moins. » Tandis que Françoise Frontisi-

1. Cf. Geneviève Fraisse, *La Différence des sexes*, Paris, PUF, 1996.

Ducroux, au terme d'une captivante étude sur «le sexe du regard», conclut plus radicalement encore à la quasi-impossibilité, pour ces époques antiques, d'atteindre le regard des femmes, «construction de l'imaginaire des hommes».

Georges Duby n'est guère plus optimiste. Dans la préface à *Images de femmes*, il insiste sur ce qui constituait pour lui une obsession énigmatique : la force de l'initiative masculine qui contraint les femmes à n'être que les spectatrices, plus ou moins consentantes, d'elles-mêmes. «Les femmes ne se représentaient pas elles-mêmes, écrit-il. Elles étaient représentées. [...] Aujourd'hui encore, c'est un regard d'homme qui se porte sur la femme» et s'efforce de la réduire ou de la séduire. Il espère, malgré tout, que les femmes y prennent, parfois, quelque plaisir.

Alors, que faire de ces images qui nous disent surtout l'imaginaire des hommes ? On peut faire l'inventaire des représentations de la féminité. Se demander ce qu'était la beauté pour telle ou telle époque[1]. S'interroger sur la manière dont les peintres percevaient la féminité. À cet égard, l'expérience de Colette Deblé est tout à fait singulière. Depuis des années, cette artiste représente des femmes d'après des tableaux, œuvres de peintres connus, aussi divers que Michel-Ange, Philippe de Champaigne, Girodet ou Félix Vallotton. De sa longue et intime fréquentation avec ces artistes, quelle impression retire-t-elle quant à leur regard sur les femmes ? «Elles leur font peur, mais ils les aiment», répond-elle à ma question.

On peut s'interroger sur la manière dont les femmes voyaient et vivaient leurs images, les acceptaient ou les refusaient, en jouissaient

---

1. Comme le fait Georges Vigarello, in *Histoire de la beauté. Le corps et l'art d'embellir de la Renaissance à nos jours*, Paris, Seuil, 2004.

ou les maudissaient, les subvertissaient ou en étaient captives. Pour elles, l'image est d'abord tyrannie, parce qu'elle les confronte à un idéal physique ou vestimentaire auquel elles doivent se conformer. Mais elle est aussi célébration d'elles-mêmes, source possible de plaisirs, de jeux subtils. Un monde à conquérir par l'exercice de l'art, comme le montre Marie-Jo Bonnet dans un livre récent qui renouvelle l'approche du sujet (*Les Femmes dans l'art*, 2004). Nous aurons l'occasion d'y revenir à propos de la mode, des apparences et de la création. Sans doute faut-il renoncer à l'idée que l'image nous livre une fresque de la vie des femmes. Mais pas à celle de leur pouvoir, de leur influence sur l'image par l'usage qu'elles en font, par la pesée de leur propre regard. Par ailleurs, il convient d'établir des différences entre la nature des images. Entre le tableau et la photo. Entre l'image fixe ou animée : le cinéma est un monde à peine exploré sous l'angle de la différence des sexes[1], qui pourtant structure son langage. Entre les époques et les artistes, les uns plus symboliques, purement idéels, les autres plus réels, voire réalistes. Il n'empêche. L'image des femmes est un mystère, elle cache autant qu'elle révèle ce que nous savons d'elles et d'eux.

Sources : femmes dans les archives

Discours et images recouvrent les femmes comme un épais manteau. Comment les atteindre, comment percer le silence, les stéréotypes qui les enveloppent ?

---

1. Les travaux de Geneviève Sellier sont pionniers. Cf. bibliographie en fin d'ouvrage.

Bien des sources existent cependant. Des sources qui parlent d'elles. Des sources qui émanent d'elles, où on peut entendre directement leurs voix. Que l'on peut trouver dans les bibliothèques, lieu de l'imprimé, des livres et des journaux ; comme dans les archives, publiques et privées. Lieux solidaires et complémentaires, qu'on aurait tort d'opposer, mais qui se différencient cependant par un degré plus ou moins grand de spontanéité discursive. Autant de chemins que je voudrais emprunter. Du moins, je voudrais en signaler quelques-uns.

Pénétrons d'abord dans les archives publiques. Les archives policières et judiciaires sont les plus riches en ce qui concerne les femmes. Surtout à partir des XVIIᵉ et XVIIIᵉ siècles, où l'ordre de la rue, comme celui du plat pays, devient une obsession. Or les femmes troublent l'ordre plus souvent qu'à leur tour. Les travaux d'Arlette Farge sont à cet égard significatifs. Désireuse de retrouver par le contact de l'archive, par l'émotion qu'elle suscite, la présence des inconnus, des silencieux de l'histoire, elle a puisé dans les archives du Châtelet (police de Paris) la matière première d'une œuvre où palpite le peuple de Paris. Dans *Vivre dans la rue* et *La Vie fragile*[1], les femmes se faufilent et s'affirment. Marchandes récalcitrantes, domestiques habiles, épouses courroucées, filles à marier « séduites et abandonnées » sont au cœur de faits divers qui expriment des conflits, des situations familiales difficiles, mais aussi la solidarité, la vitalité de petites gens qui tentent de se débrouiller dans les rets de la ville. À travers les procès-verbaux des commissaires, moins codifiés qu'aujourd'hui, se font entendre les récriminations, les plaintes, les injures, les mots du peuple et des femmes.

---

1. Arlette Farge, *Vivre dans la rue à Paris au XVIIIᵉ siècle*, Paris, Gallimard, coll. «Archives», 1979 ; *La Vie fragile. Violence, pouvoirs et solidarités à Paris au XVIIIᵉ siècle*, Paris, Hachette, 1986.

Jean Nicolas, dans *La Rébellion française*[1], donne une étude quasi exhaustive des émeutes de subsistances de la fin du XVIIe siècle à la Révolution française. Il montre le rôle des femmes, « reines de la rue », « toujours les plus ardentes », gardiennes du « juste prix » des grains dans ces affrontements. Et ceci éclaire le rôle public des femmes, beaucoup plus important sous l'Ancien Régime qu'il ne le sera au XIXe siècle, la régularisation du ravitaillement et la taxation du pain ayant fait disparaître progressivement ces émeutes.

Anne-Marie Sohn, quant à elle, s'intéresse à la vie privée des couples et des femmes entre 1870 et 1930, à une époque où se modifient le régime sexuel et l'expression du désir[2]. Dans les archives départementales, elle a dépouillé quelque sept mille dossiers judiciaires de tribunaux correctionnels et de cours d'assises sur les conflits privés. Ils mettent en scène pour les trois quarts des femmes du peuple aux prises avec la jalousie ou la violence conjugale dont elles sont victimes (les crimes passionnels sont très majoritairement des actes masculins), mais contre lesquelles elles se rebiffent. Nullement résignées, ces femmes se comportent comme des êtres de désir, pour lesquels la ville a été, au bout du compte, plutôt un espace de libération.

Annick Tillier enquête sur le principal crime des femmes au XIXe siècle : l'infanticide, dans les villages de la Bretagne occidentale. Elle a scruté les dossiers de leurs procès[3]. Il s'agit de paysannes, la plupart du temps des servantes de ferme qui, acculées à des naissances non désirées, en suppriment le fruit dans des

---

1. Jean Nicolas, *La Rébellion française. Mouvements populaires et conscience sociale, 1661-1789*, Paris, Seuil, coll. « L'univers historique », 2002.

2. Anne-Marie Sohn, *Chrysalides. Femmes dans la vie privée, XIXe-XXe siècles*, Paris, Publications de la Sorbonne, 1996.

3. Annick Tillier, *Des criminelles au village. Femmes infanticides en Bretagne (XIXe siècle)*, Rennes, Presses universitaires, 2002.

circonstances sordides. C'est une étonnante plongée dans la condition sociale des campagnes bretonnes et dans le dénuement et l'extrême solitude de ces jeunes femmes, murées dans un mutisme sans espoir.

Interrogatoires, enquêtes de l'instruction, témoignages permettent dans une certaine mesure d'approcher les femmes des classes populaires dans leurs réalités quotidiennes. On entend l'écho de leurs mots que les commissaires de police, ou les gendarmes, s'efforcent de consigner, voire de traduire. On perçoit leurs réticences, l'immensité du non-dit. On sent le poids de leur silence.

En raison de leur place dans la famille, on a plus de chances de trouver trace des femmes dans les *archives privées*. Par définition, le statut de ces archives a été longtemps et demeure nécessairement incertain. Destinées à recevoir les versements administratifs, qui les submergent, les archives publiques, nationales ou départementales, les accueillent avec réticence, au compte-gouttes et de manière sélective. Écrivains, hommes politiques, entreprises… franchissent le seuil. Mais c'est beaucoup plus difficile pour les gens ordinaires, et plus encore pour les femmes.

Pour pallier cette carence, liée aussi à l'engorgement des dépôts publics, divers organismes ont été créés. L'IMEC (Institut mémoires de l'édition contemporaine, désormais à l'abbaye d'Ardenne près de Caen) reçoit les archives des éditeurs, des revues, et secondairement des écrivains et des chercheurs. Ainsi pour Marguerite Duras, Michel Foucault. C'est un site très riche pour la vie intellectuelle contemporaine.

En 1993, Philippe Lejeune, éminent spécialiste de l'autobiographie et des «écritures ordinaires», dont il mesurait la fragilité, a créé l'Association pour l'autobiographie et le patrimoine autobiographiques (APA). Elle siège à Ambérieu-en-Bugey (Ain), devenue «cité de l'autobiographie», et recèle aujourd'hui plus de deux mille documents, dont près de la moitié émanent de femmes. Il s'agit des trois grands types de littérature personnelle : autobiographie, journal intime, correspondance. Une revue, *La Faute à Rousseau*, rend compte des versements, propose des thèmes de réflexion, donne des informations sur les groupes de discussion et de lecture créés un peu partout. Des colloques réguliers réunissent ce réseau autobiographique qui illustre le besoin d'expression individuelle de notre temps. Dans l'écriture et la parole, les femmes y sont à parité avec les hommes.

De manière générale, la présence des femmes dans ces archives est fonction de leur usage de l'écriture, écriture privée, voire intime, liée à la famille, pratiquée le soir, dans le silence de la chambre, pour répondre au courrier, tenir son journal et, plus exceptionnellement, raconter sa vie. Correspondance, journal intime, autobiographie ne sont pas des genres spécifiquement féminins, mais ils s'ouvrent davantage aux femmes en raison justement de leur caractère privé. Inégalement.

Il y a peu d'autobiographies de femmes. Pourquoi ? Le regard porté sur soi au tournant ou au terme d'une vie par des personnages publics plus que privés, qui veulent faire le bilan de leur existence et en laisser une trace, est une attitude peu féminine. «Ma vie est moins que rien», disent la plupart des femmes. À quoi bon en parler ? Sinon pour évoquer les hommes, plus ou moins «grands», qu'on a connus, accompagnés ou côtoyés. Celles qui l'ont tenté l'ont fait plutôt sous forme de «Mémoires» de leur temps. Ainsi Marie d'Agoult ; ou Malwida von Meysenbug, dont les *Mémoires d'une idéaliste*[1] parlent des révolutions, de

---

1. Sur Malwida, voir la biographie de Jacques Le Rider, *Malwida von Meysenbug. Une Européenne du XIXᵉ siècle*, Paris, Bartillat, 2005. Il donne de

l'exil et des grands hommes rencontrés : Alexandre Herzen, Wagner, Nietzsche, Gabriel Monod, Romain Rolland. George Sand, dans *Histoire de ma vie*[1], superbe autobiographie assez peu intime, mais très personnelle, composée entre 1847 et 1854, entend faire l'histoire de sa famille sur trois générations, toute individualité étant le produit du temps et des transmissions opérées par la famille, véritable « lieu de mémoire » sandien. Cette « grande femme » innove. Bien entendu, la situation au XXᵉ siècle a considérablement changé dans la mesure même où les femmes entrent dans le public.

La *correspondance* est, par contre, un genre très féminin. Depuis Mme de Sévigné, illustre ancêtre, la lettre est un plaisir, une licence, même un devoir des femmes. Surtout, les mères sont les épistolières du foyer. Elles écrivent aux vieux parents, au mari absent, à l'adolescent pensionnaire, à la fille mariée, aux amies de couvent. Leurs épîtres circulent éventuellement dans la parenté. La lettre constitue une forme de sociabilité et d'expression féminine, autorisée, voire recommandée, ou tolérée. Forme distanciée de l'amour, plus aisée et moins dangereuse que la rencontre, la lettre d'amour s'y substitue, au point de figurer l'essentiel. Elle devient un thème et un motif de la littérature (le roman par lettres) et de la peinture de genre, hollandaise surtout. La femme qui lit une lettre dans son intérieur, ou près d'une fenêtre, à la frontière de l'intérieur et de l'extérieur, rêve à l'amant ou au mari voyageur ou guerrier (cf. Vermeer de Delft).

---

larges extraits de ces *Mémoires d'une idéaliste* (édition en français, Genève, 1869 ; édition française, préface de Gabriel Monod, Paris, Fischbacher, 1900 ; édition allemande complétée, 1876) aujourd'hui introuvables.

1. Édition présentée par Martine Reid, Paris, Gallimard, coll. « Quarto », 2004.

Les correspondances privées féminines sont rarement publiées, excepté lorsqu'elles mettent en scène de grands hommes : correspondance de François Guizot avec sa fille Henriette, des filles de Marx avec leur père, Karl. La *Correspondance* de George Sand est exceptionnelle par son ampleur (vingt-cinq volumes publiés par Georges Lubin[1]), sa durée, sa variété, sa densité familiale, amoureuse, amicale, artistique et politique. De Musset à Flaubert, d'Agricol Perdiguier et Pierre Leroux à Mazzini, Barbès et au prince Napoléon Bonaparte, on ne compte plus ses interlocuteurs. Mais elle écrivait aussi à son mari, Casimir Dudevant, pour lui dire, en vingt-deux pages, ses déceptions et ses attentes quant à leur mode de vie (1822). À son fils, Maurice, collégien, elle prodiguait les conseils pour une éducation civique et citoyenne. À son amant qui la quitte, Michel de Bourges, elle adresse des lettres déchirantes de passion contrariée. Avec Flaubert, le « cher troubadour », elle discute littérature, difficultés de l'âge, plaisirs de l'amitié[2].

La destruction et l'anonymat menacent les lettres ordinaires. Paula Cossart vient de publier une correspondance amoureuse, qui plus est adultérine, quelque mille cinq cents lettres, trouvées presque par hasard aux Archives de Paris. C'est un témoignage exceptionnel sur le sentiment et les pratiques amoureuses au XIXe siècle dans un couple de la bourgeoisie intellectuelle romantique, dont l'idéal demeure la conjugalité[3]. Mais il reste à décou-

---

1. Publiés par Garnier et Bordas (1964-1971). Il faut y ajouter le volume des *Lettres retrouvées*, publiées par Thierry Bodin, Paris, Gallimard, 2004.
2. La *Correspondance* croisée Sand-Flaubert a été publiée par Alphonse Jacobs aux éditions Flammarion. Sous le titre de *Chère Maître*, comme disait Flaubert à Sand, il en a été tiré un spectacle-lecture avec Marie-France Pisier, à la Gaîté-Montparnasse, hiver 2004-2005.
3. Paula Cossart, *Vingt-cinq ans d'amours adultères. Correspondance sentimentale d'Adèle Schunck et d'Aimé Guyet de Fernex, 1824-1849*, Paris, Fayard, 2005.

vrir bien des secrets dans les greniers des familles, malheureusement en voie de disparition.

Du *journal intime*, pratique adolescente, et plus spécialement féminine, Philippe Lejeune a donné un début d'inventaire[1], à poursuivre. L'écriture du journal était un exercice généralement recommandé, surtout par l'Église, qui en faisait un instrument de direction de conscience et de contrôle de soi. De même chez les protestants. Les éducatrices laïques étaient parfois réticentes devant une excessive introspection.

Il occupe un moment limité, mais intense, dans la vie d'une femme, interrompu par le mariage et la perte de l'espace intime. Il est lié à la chambre de jeune fille. Un bref moment, il permet l'expression de soi.

Ces divers types d'écrits ont ceci d'infiniment précieux qu'ils autorisent l'affirmation d'un «je». Grâce à eux, on entend le «moi», la voix des femmes. Voix en mineur, certes, de femmes cultivées, ou du moins ayant accès à l'écriture. Et dont en outre les papiers ont été conservés. Voilà bien des conditions assez peu remplies.

Constituer des archives, les conserver, les déposer supposent un certain rapport à soi, à sa vie, à sa mémoire. C'est par la force des choses un acte peu féminin. La perte, la destruction, l'auto-destruction sont beaucoup plus fréquentes. Les descendants s'intéressaient éventuellement à leurs grands hommes, beaucoup moins à leurs aïeules, effacées et obscures. Ils détruisaient ou vendaient leurs papiers. Georges Ribeill a retrouvé aux puces de Saint-Ouen un volume isolé du journal de Caroline Brame, jeune fille du faubourg Saint-Germain sous le second Empire, bradé

---

1. Philippe Lejeune, *Le Moi des demoiselles. Enquête sur le journal de jeune fille*, Paris, Seuil, 1993 ; Philippe Lejeune et Catherine Bogaert, *Le Journal intime. Histoire et anthologie*, Paris, Textuel, 2006.

sans doute avec un lot de livres pieux formant sa bibliothèque[1]. Exemple assez classique d'une liquidation ordinaire. C'est pourquoi, prévoyant la négligence, voire la moquerie, d'héritiers indifférents, beaucoup de femmes, au soir de leur vie, mettaient de l'ordre à leurs affaires, triaient leur correspondance, brûlaient leurs lettres d'amour, surtout si elles risquaient de trahir leur honneur, détruisaient leur journal, témoin d'émotions, d'espoirs déçus, de souffrances passées qu'il valait mieux celer. À quoi bon s'exposer inutilement à la curiosité indélicate ou à l'incompréhension de regards indiscrets?

D'où la volonté de femmes, souvent féministes, de constituer des archives de femmes pour lutter contre la dispersion et l'oubli, et ceci dès le début du XXe siècle. Marie-Louise Bouglé, modeste employée, amie de Marguerite Durand, la fondatrice de *La Fronde*, avait entrepris de réunir textes, tracts, affiches, lettres, objets émanant du féminisme contemporain, qu'elle rachetait souvent chez les bouquinistes. Elle destinait ce fonds à la bibliothèque Marguerite-Durand. Après sa mort, son mari, saisi par la Seconde Guerre mondiale, déposa l'ensemble à la Bibliothèque nationale, avec la complicité de son administrateur, Julien Cain. Il mourut à son tour. Tout le monde avait oublié ce dépôt, redécouvert dans les années 1970, transporté à la Bibliothèque historique de la Ville de Paris, classé tardivement par une historienne, Maïté Albistur, et, grâce à elle, consultable.

Pour éviter de telles vicissitudes, Christine Bard a organisé, à Angers, en 2000, dans le cadre de la Bibliothèque universitaire et par convention, les «Archives du féminisme». Elles recèlent

---

1. Journal publié sous le titre *Journal intime de Caroline B. Une jeune fille sous le second Empire*, enquête de Georges Ribeill et Michelle Perrot, Paris, Arthaud-Montalba, coll. «Archives privées», 1985.

d'ores et déjà plusieurs fonds importants. Ils émanent de Cécile Brunschvicg (1877-1946), féministe au sein du parti radical, une des trois sous-secrétaires d'État nommées par Léon Blum dans le gouvernement de Front populaire (à une époque où les femmes n'avaient pas le droit de vote), supporter de toutes les causes des femmes ; du Conseil national des femmes françaises, créé en 1901, la plus ancienne des associations féministes françaises ; d'Yvette Roudy, ancienne ministre socialiste des Droits des femmes ; de Suzanne Képès (1918-2005), grande figure du Planning familial. De bien d'autres encore[1].

Des archives de femmes pour une histoire des femmes.

Voix de femmes dans les bibliothèques

Nous avons cherché les traces des femmes dans les archives. Il nous faut aussi les quêter dans l'imprimé et les bibliothèques. Pour entendre leurs voix – *les mots des femmes*[2] –, il faut ouvrir non seulement les livres qui parlent d'elles, les romans qui les racontent, les imaginent et les scrutent – source incomparable[3] –, mais ceux qu'elles ont écrits. Feuilleter les journaux, que, dès le XVIIIᵉ siècle, elles ont lancés. Franchir, par conséquent,

---

1. On se reportera au bulletin *Archives du féminisme* (décembre 2005, n° 9) qui informe sur l'état des fonds, et, de manière plus générale, sur toutes les actions pour la mémoire des femmes.
2. Mona Ozouf, *Les Mots des femmes. Essai sur la singularité française*, Paris, Fayard, 1995.
3. Mona Ozouf, *Les Aveux du roman. Le XIXᵉ siècle entre Ancien Régime et Révolution*, Paris, Fayard, 2001 ; Nathalie Heinich, *États de femme. L'identité féminine dans la fiction occidentale*, Paris, Gallimard, 1992.

avec elles, les obstacles mis si longtemps à leur accès à l'écriture, frontière interdite du savoir et de la création, dont nous verrons plus tard l'obstacle et le contournement.

Quelles ont été *les voies de l'écriture* pour les femmes dans ce monde interdit ? D'abord, la religion et l'imaginaire : les voies mystiques et littéraires ; l'oraison, la méditation, la poésie et le roman. Tels sont les chemins des premières femmes qui écrivent, des pionnières de l'écriture : Sapho, la mystérieuse poétesse grecque qui anime à la fin du VIIe siècle à Lesbos un cercle choral où chantent les jeunes filles de la bonne société ; la religieuse Hildegarde de Bingen, auteure dès le XIIe siècle du *Hortus deliciarum* (*Le Jardin des délices*, recueil de chants grégoriens) ; Marguerite Porete (*Le Miroir des âmes simples et anéanties*), brûlée comme hérétique au XIVe siècle ; Catherine de Sienne, lettrée et conseillère du pape ; la grande Christine de Pisan, dont *La Cité des dames* marque au XVe siècle une rupture. « En ma folie je me désespérais que Dieu m'ait fait naître dans un corps féminin », disait-elle dans une soif d'égalité qui sourd par tous les pores de cette pré-Renaissance.

Deux lieux ont été propices à l'écriture : les couvents et les salons, le cloître et la conversation. Au Moyen Âge, les couvents favorisent la lecture, voire l'écriture des femmes, au point que, à la fin du XIIIe siècle, les femmes de la noblesse paraissent culturellement supérieures aux hommes qui guerroient aux croisades ou ailleurs. Cultivées et désireuses d'aimer autrement : ainsi naquit peut-être l'amour courtois. Les religieuses copient les manuscrits et s'approprient le latin interdit. Les couvents diversifient leur clientèle et leur rôle au XVIIe siècle, mais ils demeurent des foyers de culture pour les femmes, de plus en plus exigeantes. Thérèse d'Avila, les religieuses de Port-Royal, la Bourguignonne Gabrielle Suchon (1632-1703) s'affirment comme femmes du livre. Gabrielle, religieuse défroquée, publie en 1693 un *Traité de la morale et la politique* très apprécié[1], preuve que les femmes ne se cantonnent plus à la piété. Au XVIIᵉ siècle, le salon de Mme de Rambouillet est le bastion des Précieuses, qui exigent galanterie et beau langage. Dans leur sillage, Madeleine de Scudéry écrit d'interminables romans qui renouvellent l'expression du sentiment amoureux. Et Mme de La Fayette, le plus bref des chefs-d'œuvre : *La Princesse de Clèves*. La voie est désormais ouverte aux « femmes qui écrivent », à ces femmes auteures que le XIXᵉ siècle misogyne tentera, mais en vain, de limiter et de contenir. Femmes souvent d'origine aristocratique, plus ou moins désargentées, et qui tentent de gagner leur vie de manière honorable avec « la plume » comme avec le pinceau. Ainsi George Sand dont l'œuvre remplit aujourd'hui des rayons de la Bibliothèque historique de la Ville de Paris et de la Bibliothèque nationale. Dans le catalogue « auteurs » de cette dernière, la seule bibliographie des œuvres de Sand remplit plusieurs pages.

D'autres facteurs ont stimulé la production des femmes. Par exemple, l'existence d'un lectorat féminin auquel les femmes auteures étaient mieux adaptées, ou censées l'être. Certains genres paraissaient particulièrement pertinents : les livres de cuisine, de savoir-vivre (la baronne Staff, auteure en 1899 du *Guide des usages du monde*), de pédagogie, la presse de mode, les romans, dont les femmes étaient très friandes. George Sand s'adresse plus explicitement à ses « lectrices », dont elle voudrait d'ailleurs changer la manière de penser.

---

1. Séverine Auffret a publié diverses œuvres de Gabrielle Suchon aux éditions Arléa. Ainsi le *Petit traité de la faiblesse, de la légèreté, de l'inconstance qu'on attribue aux femmes mal à propos* (Paris, Arléa, 2002), qui s'inscrit dans « la querelle des femmes » du XVIIᵉ siècle, où l'on commence à parler d'une possible égalité des sexes.

Enfin, le féminisme sous toutes ses formes, laïque ou chrétien, a été un puissant incitatif. Notamment dans le domaine de la presse, qui était son mode d'expression.

On ne peut certes parler de marée, voire d'«invasion», comme le font les gens hostiles à l'écriture des femmes. Mais d'une entrée en écriture, d'une inscription dans l'imprimé, de plus en plus normale. Paritaire aujourd'hui ? Je ne sais. En tout cas, on entend désormais bien davantage la voix des femmes ; ou du moins des voix de femmes. On peut consulter leurs livres. On peut lire leurs mots.

De la presse et des femmes

À côté des livres, il y a les journaux et les revues. Les femmes en sont lectrices et productrices. Elles lisent peu les quotidiens dont le contenu politique s'adresse plutôt aux hommes. Mais elles s'emparent des «rez-de-chaussée», voués aux feuilletons. Anne-Marie Thiesse a mené une enquête, il y a un quart de siècle, auprès des lectrices des années 1900[1]. Elle a recueilli les souvenirs heureux des vieilles lectrices qui, sous la lampe, ou dans leur chambre, lisaient à la dérobée, avec un sentiment de faute persistant et délicieux, les malheurs de la «porteuse de pain» ou de «l'enfant du lavoir».

La première presse féminine spécialisée est la presse de mode, qui se développe dès le XVIIIᵉ siècle. Elle est écrite la plupart du temps par des hommes, mais des femmes s'y glissent : ainsi dans le *Journal des dames* (1759-1778) de Paris. À Londres, Eliza Hay-

1. Anne-Marie Thiesse, *Le Roman du quotidien. Lectures et lecteurs à la Belle Époque*, Paris, Le Chemin vert, 1983.

wood avait réussi à faire vivre durant deux ans (1744-1746) le sérieux *Female Spectator*[1].

Cette presse connaît au XIXe siècle un grand essor, en raison de son succès auprès des femmes, en quête de conseils pour une mode obsédante. Mais cette fois, des femmes s'y infiltrent et parfois s'en emparent. Ainsi pour le *Journal des demoiselles*, auquel Christine Léger (prématurément disparue) avait consacré une thèse inédite. Il s'agit d'un mensuel composé, écrit, et même partiellement financé par des femmes. Éclectiques, les rubriques vont de la mode aux recettes de cuisine, des récits de voyages, illustrés de gravures imaginatives, aux biographies de femmes «illustres». Le genre biographique est en plein essor. Reines et saintes s'y taillent un franc succès. Derrière cette façade un peu convenue, on observe, dans le choix et le ton, une volonté d'émancipation des femmes par l'éducation et même par le savoir et le travail. On conseille aux jeunes filles d'étudier les langues étrangères parce que la traduction est une occupation, éventuellement un métier, convenable pour une femme. Il y aurait naturellement beaucoup à dire sur cette assignation des femmes à la traduction. Mais c'est un début, une brèche dans les zones interdites.

Les magazines féminins ont joué un rôle croissant aux XIXe et XXe siècles. Évelyne Sullerot l'a montré[2]. Les promoteurs cherchent surtout à capter des consommatrices potentielles, à guider leurs goûts et leurs achats. L'industrie des cosmétiques, celle des arts ménagers visent d'abord les femmes «sur papier glacé». Entre les deux guerres, le magazine *Mon chez moi*, de Paulette Bernège,

---

1. Nina Ratner-Gelbart, «Les femmes journalistes et la presse (XVIIe-XVIIIe siècles)», in *Histoire des femmes en Occident*, 5 vol., Paris, Plon, 1991-1992; en poche, coll. «Tempus», Perrin, 2001; t. 3, Arlette Farge (dir.), p. 427-443.
2. Évelyne Sullerot, *Histoire de la presse féminine en France, des origines à 1848*, Paris, Armand Colin, 1966.

émule de l'Américaine Christine Frederiks, lié par ailleurs aux producteurs d'électricité, entend faire de la ménagère une professionnelle bien équipée. Mais certaines femmes profitent de telles tribunes pour développer l'émancipation des femmes. Ainsi Marcelle Auclair, dans *Marie-Claire*, répond de manière très libérée au « courrier du cœur » et défend le droit à la contraception, pour laquelle elle dispense de premiers conseils. C'est toute l'ambiguïté de la presse féminine, enjeu d'images et de conduites.

La *presse féministe* est plus engagée. Laure Adler[1] a montré l'émergence des *premières journalistes* dont Michèle Riot-Sarcey[2] a analysé le rôle politique dans la critique du pouvoir. Les féministes ont conscience du rôle de la presse dans l'opinion publique. Elles saisissent cette tribune avec professionnalisme en même temps qu'avec beaucoup d'idéalisme. Refusant, par exemple, de porter le nom de leur mari, les femmes se « prénomment ». Marie-Jeanne, Désirée, Eugénie, Claire et les autres entrent dans la danse, en deux vagues distinctes : en 1830-1832, la presse saint-simonienne – *La Femme libre* – met au premier plan la revendication des droits civils (droit au divorce) et de la liberté, sentimentale, amoureuse, sexuelle, dont George Sand se fait l'écho dans *Indiana* (1832) et *Lélia* (1833), autant que dans sa vie. Claire Démar, dans *Ma loi d'avenir* (1833), proteste contre une « promiscuité des mœurs » qui piège les femmes, en position d'infériorité ; un cri vibrant contre la domination masculine, avant son suicide.

Les journaux publiés en 1848 par Eugénie Niboyet, Désirée Gay, Jeanne Deroin sont plus politiques et sociaux[3]. Cette presse

1. Laure Adler, *À l'aube du féminisme : les premières journalistes (1830-1850)*, Paris, Payot, 1979.
2. Michèle Riot-Sarcey, *La Démocratie à l'épreuve des femmes. Trois figures critiques du pouvoir (1830-1848)*, Paris, Albin Michel, 1994.
3. *La Voix des femmes, La Femme libre, L'Opinion des femmes*.

revendique le droit au travail des femmes, l'égalité des salaires, la formation de coopératives ; et d'autre part, le droit de vote pour les femmes, dont on sait qu'il leur sera alors refusé.

Cette première presse féministe est très originale, non seulement par son contenu, mais par sa facture. Outre l'usage anti-patriarcal du patronyme, elle ouvre une « tribune des lectrices », qui suscite beaucoup d'intérêt et manifeste la volonté de créer un réseau. Libérée par la loi de 1881, qui fonde le régime du journalisme moderne, la presse féministe de la IIIᵉ République, étudiée par Laurence Klejman et Florence Rochefort[1], est plus abondante. Des dizaines de titres entre 1880 et 1914, dont *La Citoyenne* d'Hubertine Auclert et surtout *La Fronde* de Marguerite Durand, expérience exceptionnelle. *La Fronde*, quotidien (1897-1901), puis mensuel (1901-1905), est entièrement conçu, rédigé, et même composé typographiquement par des femmes, ce qui n'était pas le plus facile, étant donné l'hostilité des métiers du Livre à l'emploi des femmes.

Désormais, le journal fait partie des formes d'expression des femmes, en France comme dans la plupart des pays occidentaux. Du même coup, les femmes accèdent à un métier jusque-là masculin : le journalisme. Après George Sand et Delphine de Girardin, journalistes occasionnelles, Colette, Séverine, Gyp, Louise Weiss empruntent des chemins nouveaux, mieux définis et plus hardis. Entre les deux guerres, des femmes se risquent au grand reportage, comme Andrée Viollis qui, dès 1935, alerte l'opinion sur la situation des paysans du Tonkin, dans *Le Petit Parisien*[2]. Aujourd'hui, les femmes sont présentes sur tous les terrains du monde.

1. Laurence Klejman et Florence Rochefort, *L'Égalité en marche. Le féminisme sous la IIIᵉ République*, Paris, Presses de la FNSP/Des femmes, 1989.
2. Andrée Viollis, *Indochine SOS*, 1935, reportage pour *Le Petit Parisien*.

À ces sources classiques, il convient d'ajouter les sources produites par l'histoire dite «orale», «autobiographie de ceux qui n'écrivent pas», et recueillies au magnétophone. Cette démarche a connu un vif essor, voire un réel engouement, dans les années 1970, dans le sillage d'un certain populisme culturel qui voulait faire parler les muets, les absents de l'histoire : les ouvriers, les femmes. Celles-ci intéressaient à un double titre : comme témoins du privé (dans un couple de militants, le mari parle de son action et la femme de la vie de famille : division mémorielle des rôles) et témoins d'elles-mêmes. L'Institut d'histoire du temps présent s'est montré particulièrement actif à cet égard[1]. Anne Roche et Marie-Claude Taranger ont collecté les souvenirs de femmes de la région de Marseille. Elles les présentent dans un livre-manifeste, *Celles qui n'ont pas écrit*[2], à la fois guide méthodologique et textes suggestifs, tels que «La vie d'une jeune ouvrière à Marseille».

Les musées des Arts et Traditions populaires, les écomusées fournissent aussi de nombreux éléments sur l'archéologie du quotidien des femmes : ainsi l'atelier d'une couturière, naguère présenté au musée de la porte Maillot.

Des lieux pour l'histoire des femmes

Les sources pour l'histoire des femmes sont partout, mêlées à celles des hommes, mais il existe quelques bibliothèques ou fonds spécialisés.

La Bibliothèque nationale est «la mer des histoires», la mère de l'histoire des femmes. Elle renferme des livres d'elles et sur

1. Autour de Sylvie Schweitzer et de Danièle Voldman.
2. Anne Roche et Marie-Claude Taranger, *Celles qui n'ont pas écrit. Récits de femmes dans la région marseillaise, 1914-1945*, Aix-en-Provence, Édisud, 1995, préface de Philippe Lejeune.

elles ; des manuscrits (intégralité des manuscrits de Simone de Beauvoir, de Simone Weil), et désormais des sources audio-visuelles inventoriées dans un colloque récent de l'INA. On se reportera au *Guide* (2004) rédigé par Annick Tillier. Il comporte une présentation des sources imprimées, forcément dispersées, de la Bibliothèque nationale sur les femmes (ainsi pour l'histoire religieuse) ; mais aussi un inventaire des ressources du département des manuscrits (fonds Louise Weiss, Nathalie Sarraute, Hélène Cixous…) ; un inventaire des fonds de l'Arsenal, papiers de comédiennes et d'artistes ; une importante bibliographie classée de plusieurs centaines de titres. C'est un remarquable instrument de travail[1].

Il existe quelques bibliothèques spécialisées, en Europe (à Amsterdam), aux États-Unis (la Schlesinger Library) et à Paris, la célèbre bibliothèque Marguerite-Durand[2], fondée entre les deux guerres par Marguerite Durand et enrichie de nombreuses donations. Elle comporte des milliers de livres et documents et un important fonds de journaux et de manuscrits. Elle est devenue depuis trente ans un lieu de recherche très fréquenté.

Signalons enfin Musea, un cybermusée d'histoire des femmes et du genre (musea.univ-angers.fr), réalisé par Christine Bard et Corinne Bouchoux, qui fournit des informations de toute nature sans cesse enrichies et actualisées.

Ainsi les sources jaillissent au regard qui les cherche. Ce regard qui fait le récit qu'est l'histoire.

1. À compléter par Françoise Thébaud (dir.), *Pas d'histoire sans elles*, guide réalisé par le CRDP de l'académie d'Orléans-Tours, 2004, à l'occasion des *Rendez-vous de l'histoire* de Blois sur « Les femmes dans l'histoire ».
2. Bibliothèque Marguerite-Durand, 79, rue Nationale, 75013. On peut consulter aussi *Aspasie*, fonds documentaire sur l'histoire des femmes et du genre, à l'IUFM de Lyon.

Et la préhistoire. Claudine Cohen, parce qu'elle interroge autrement les fresques des grottes et les objets préhistoriques, nous donne à voir une *femme des origines*[1], délivrée de la gangue religieuse et érotique qui l'enfermait. Et les préhistoriens, qui analysent aujourd'hui l'appartenance sexuelle des mains à partir des peintures rupestres, nous disent que les femmes étaient partout : on le pensait, mais maintenant on en est certain. Leurs mains parlent pour elles.

---

1. Claudine Cohen, *La Femme des origines. Images de la femme dans la préhistoire occidentale*, Paris, Belin-Herscher, 2003 ; sur les peintures rupestres et les mains des femmes, cf. *Le Monde*, 10 janvier 2006 ; l'indice de Manning (University of Central Lancashire) tente de mesurer le dimorphisme sexuel.

II

Le corps

Le corps des femmes, voici ce qui nous retiendra maintenant. Non le corps immobile dans ses propriétés éternelles, mais le corps dans l'histoire, aux prises avec les changements du temps, car le corps a une histoire, physique, esthétique, politique, idéelle et matérielle, dont les historiens ont pris progressivement et récemment conscience[1]. Et la différence des sexes qui marque les corps en est une dimension majeure. Ce n'est pas la même chose d'être une jeune fille, ou un jeune garçon, au Moyen Âge ou au XXIᵉ siècle. Dans le discernement des âges de la vie, Philippe Ariès fut pionnier par son ouvrage *L'Enfant et la Vie de famille sous l'Ancien Régime*[2], enfant relativement asexué, sans qu'on sache vraiment pourquoi : représentation de l'époque ? ou celle de l'historien qui la décrit ?

Voici quelques-uns des aspects que nous aborderons dans leur historicité : les âges de la vie d'une femme ; les apparences : l'exemple de la chevelure ; la sexualité ; la maternité ; la prostitution.

1. Alain Corbin, Jean-Jacques Courtine, Georges Vigarello (dir.), *Histoire du corps*, Paris, Seuil, 3 vol., 2005-2006.
2. Paris, Plon, 1958.

Les âges de la vie d'une femme

Ce qui frappe d'abord, c'est la *longévité* des femmes : aujourd'hui, elles bénéficient en France d'environ huit ans de vie de plus que les hommes.

Il n'en fut pas toujours ainsi. Le taux de mortalité des femmes était, semble-t-il, supérieur à celui des hommes au Moyen Âge et à l'époque moderne, en raison de la forte mortalité à l'accouchement. La maternité était ravageuse, d'autant plus qu'en cas de difficultés on préférait sauver l'enfant plus que la mère : ainsi lors des premières césariennes, pratiquées en Italie. Au XIXe siècle, la tuberculose atteignit vivement les femmes, surtout les femmes du peuple, sous-alimentées chroniques.

La longévité féminine est un fait récent, lié aux progrès de l'obstétrique et de la gynécologie, au meilleur régime des femmes, mieux suivies médicalement et plus sobres. La précaution s'intègre de longue date à leur éducation. « Les filles doivent être gênées de bonne heure », selon Rousseau. Le risque, sous toutes ses formes, est inhérent à la culture de la virilité. Du reste, l'écart entre les sexes tend à se réduire, au fur et à mesure que le mode de vie des femmes se rapproche de celui des hommes ; elles fument, boivent, travaillent, circulent, voyagent comme eux, vivent et meurent presque comme eux. Et ce constat suggère d'emblée à quel point cette longévité n'est pas un fait de nature, mais de culture et de comportement. Le biologique se dissout dans l'existentiel.

Résultat : le quatrième âge est féminin. Les femmes peuplent les maisons de retraite. La solitude des femmes âgées, paupérisées, dotées d'une moindre retraite et de ressources faibles, est un des problèmes de notre temps qui suggère l'ambivalence des progrès.

Commençons par le commencement, la *naissance*: la petite fille est moins désirée. Annoncer: «C'est un garçon» est plus glorieux que de dire: «C'est une fille», en raison de la valeur différente attribuée aux sexes, ce que Françoise Héritier appelle la «valence différentielle des sexes». Dans les campagnes d'autrefois, on sonnait moins longuement les cloches pour le baptême d'une fille, comme du reste pour l'enterrement d'une femme[1]. Le monde sonore est sexué.

L'infanticide des petites filles est une pratique très ancienne, qui perdure massivement en Inde et surtout en Chine, en raison de la limitation à un enfant unique: on élimine les filles (désormais plutôt par avortement) jusqu'à ce qu'on ait un garçon. De ce fait, il y a des centaines de milliers de filles manquantes. Au point que les sociétés d'obstétrique et de gynécologie d'Inde avaient déclaré en 1986 le «fœticide» féminin «crime contre l'humanité». Un déficit démographique des filles se creuse, qui commence à préoccuper les démographes, comme un frein possible à la reproduction.

La petite enfance est relativement asexuée. Le mot «enfant» fonctionne comme un neutre; il ne s'emploie qu'au masculin. Jusque vers trois ou quatre ans, les enfants portent d'identiques vêtements, une robe, plus pratique pour leurs «besoins»; ils ont les cheveux pareillement longs, pratiquent les mêmes jeux, vivent dans les jupes des femmes. Dans les salles d'asile, garçons et filles sont confondus. Puis commence un lent processus de sexuation.

La petite fille est une inconnue. Avant le XXe siècle, il existe peu de récits d'enfance de filles. George Sand fait exception. Dans *Histoire de ma vie*, elle raconte longuement sa vie quotidienne, ses relations avec sa mère, sa grand-mère, ses jeux, parle de ses pou-

1. Alain Corbin, *Les Cloches de la terre*, Paris, Albin Michel, 1994.

pées, évoque ses premières lectures, ses rêveries autour du tapis ou des papiers peints contemplés durant les siestes interminables de l'enfance. Plus tard, les autobiographies d'écrivaines multiplient ces récits : Marguerite Audoux, Colette, Nathalie Sarraute, Christa Wolf en ont livré de fort beaux. Au XIXe siècle, la littérature éducative ou romanesque fournit des éléments pour une galerie de petites filles : Sophie (la comtesse de Ségur), Alice (Lewis Carroll), la petite Fadette (Sand), Cosette (Victor Hugo). Une exposition du musée d'Orsay[1] souligne la présence des petites filles dans la peinture, impressionniste surtout. Élisabeth Vigée-Lebrun peint sa fille, Berthe Morisot la sienne, sa Julia, à tous les stades de sa vie.

Mais au-delà de ces représentations, il n'est pas simple de cerner la vie réelle des petites filles. Elles sont plus enfermées, plus surveillées que leurs frères, qualifiées de « garçons manqués » si elles s'agitent trop. On les met au travail plus tôt dans les familles populaires, paysannes ou ouvrières, les retirant précocement de l'école, surtout si elles sont les aînées. On les réquisitionne pour les tâches domestiques de toutes sortes. Future mère, la petite fille remplace la mère absente. On l'éduque plus qu'on ne l'instruit.

La scolarisation des filles retarde sur celle des garçons, surtout dans les pays catholiques. Sous cet angle, le protestantisme, soucieux d'une lecture de la Bible par les deux sexes, est beaucoup plus égalitaire. En catholicité, les religieuses prennent les choses en main dans des ouvroirs où les petites filles apprennent des rudiments de lecture, la prière et, surtout, la couture. Elles forment une main-d'œuvre toute trouvée pour les industries de la dentelle, par exemple ; ainsi en basse Normandie, autour de Bayeux et de Caen, au XVIIe et surtout au XVIIIe siècle.

1. *Les Petites Filles modernes* (1989), sous la direction de Nicole Savy.

Très tôt, s'établit un lien entre filles et religion... Elles sont «élevées sur les genoux de l'Église», selon la formule de Mgr Dupanloup. La piété est non seulement pour elles un devoir : c'est leur *habitus*.

Lorsque les lois Ferry (1881) instaurent l'école laïque, obligatoire, gratuite pour les deux sexes, *jusqu'à douze ans*, avec les mêmes programmes – pour un même certificat d'études que les filles seront toutefois plus lentes à passer que leurs frères –, c'est une manière de révolution, même si les filles étaient déjà largement alphabétisées. Par souci de réputation morale, l'École sépare les sexes dans un espace *non mixte*.

La jeune fille est beaucoup plus visible. Elle a suscité d'assez nombreux travaux[1]. Dans la littérature, les personnages de jeunes filles se multiplient ; elles sillonnent le roman anglais, ceux de Jane Austen, par exemple, et, à un moindre degré, ceux de Balzac – *Ursule Mirouet, Eugénie Grandet* – ou de George Sand. Elles s'avancent en bande chez Proust. La jeune fille fascine par sa fraîcheur, son indécision, son mystère, l'image de pureté qu'elle incarne, et qui réduisait Kafka, l'éternel fiancé, à l'impuissance.

Son existence s'ouvre par un moment clef : la puberté. Celle-ci est pourtant peu célébrée dans les sociétés occidentales, qui la tairaient plutôt. Il n'existe guère de rites de passage pour ce moment crucial de l'adolescence. Dans les campagnes bourguignonnes, au village de Minot étudié par Yvonne Verdier (1979), les jeunes filles passent l'hiver de leurs quinze ans chez la couturière, à marquer de rouge les draps de leur futur trousseau, la «marquette» faisant office d'initiation aux secrets de leur vie de

---

1. Gabrielle Houbre, *La Discipline de l'amour*, Paris, Plon, 1997 ; (dir.), «Le temps des jeunes filles», *Clio, Histoire, femmes et sociétés*, n° 4, 1996 ; G. Houbre *et alii*, *Le Corps des jeunes filles, de l'Antiquité à nos jours*, Paris, Perrin, 2001.

femme. Mais ordinairement, c'est plutôt le silence de la pudeur, voire de la honte, qui s'attache au sang des femmes : sang impur, sang dont l'écoulement involontaire est « pertes » et signe de mort. Le sang mâle des guerriers « abreuve nos sillons » de gloire. Le sperme est semence féconde. La différence des sexes hiérarchise les sécrétions. « Voir son sang », ne plus le voir est essentiel pourtant, pour les femmes, mais dans l'intimité du corps, dans le secret du sexe, et souvent dans l'inconfort le plus total. Il faut arriver aux années 1970 pour que les mères parlent préventivement des règles à leurs filles, pour que l'hygiène prenne en compte leurs « indispositions », comme on disait naguère, et pour que la publicité vante les meilleures protections.

La virginité des filles est chantée, convoitée, surveillée jusqu'à l'obsession. L'Église, qui la consacre comme suprême vertu, célèbre le modèle de Marie, vierge et mère. Les peintres de l'Annonciation, grand thème médiéval, représentent l'ange prosterné dans la chambre de jeune fille à la couche étroite. Cette valorisation religieuse est laïcisée, sacralisée, sexualisée aussi : le blanc, le mariage en blanc, sous le second Empire, figure le symbole de la pureté de la promise.

Préserver, protéger la jeune fille est une hantise familiale et sociale. Car le *viol* est un risque majeur. C'est un rite toléré d'initiation masculine au Moyen Âge ; Georges Duby, Jacques Rossiaud[1] ont décrit les bandes de jeunes en quête de proie. Malheur à celle qui se fait prendre. Elle est toujours suspecte d'être une fille facile. Déflorée, surtout si elle l'est par plusieurs, elle ne trouvera plus preneur. Déshonorée, elle est vouée à la prostitution. Au XIXᵉ siècle, seul le viol collectif est susceptible d'être puni par les tribunaux. En

---

1. Jacques Rossiaud, « Prostitution, jeunesse et société dans les villes du Sud-Est au XVᵉ siècle », *Annales ESC*, nº 2, 1976, p. 289-325.

cas de viol par un seul, la fille (ou la femme) est presque toujours présumée consentante : elle aurait pu se défendre. Le viol est d'ailleurs jugé en correctionnel, au titre des « coups et blessures ». Il sera qualifié de « crime » par la loi seulement en 1976.

Des différences sociales considérables marquent la condition des jeunes filles. La liberté de la jeune aristocrate, qui monte à cheval, pratique l'escrime, a un précepteur ou une gouvernante, comme ses frères, et au besoin apprend des rudiments de latin, contraste avec la surveillance de la jeune bourgeoise, élevée par sa mère, initiée au ménage et aux arts d'agrément (le sempiternel piano), affinée par quelques années de cours ou de pension et soumise aux rituels d'entrée dans le monde, qui visent à la marier. La fille des classes populaires est placée très tôt, ordinairement dans la domesticité. Servante de ferme (telle la Marie-Claire berrichonne de Marguerite Audoux), elle est souvent exposée à de durs travaux, aux contraintes de la promiscuité ; « bonne » de ville, aux risques de la séduction. D'autres sont placées en apprentissage dans des ateliers de couture ou en usine.

Il n'est pas simple d'être une jeune fille, dans les contraintes du corps et du cœur, si peu libre de ses choix d'avenir, de ses projets amoureux, exposée à la séduction, à l'enfant non désiré, dont la loi napoléonienne interdit de rechercher le père, à la solitude et à l'abandon. Les filles ont leurs maladies : la mélancolie, l'anorexie – le mot apparaît en Angleterre vers 1880 –, qui traduit mal-être, hantise de la minceur, mais aussi refus de la seule issue proposée à son attente, le mariage.

Clef de « l'état de femme[1] », le mariage est la condition normale de la grande majorité des femmes (de l'ordre de 90 % vers 1900

1. Nathalie Heinich, *États de femme. L'identité féminine dans la fiction occidentale*, Paris, Gallimard, 1992.

en France, un peu moins en Grande-Bretagne). Le taux serait plus élevé encore dans les pays d'Islam, ou en Afrique, qui ignorent le célibat, institué par le christianisme comme voie de la perfection. Ce n'est plus guère le cas au XIXe siècle, qui fait l'apologie de la maternité et de l'utilité. Le célibat est considéré comme la situation des «laissées-pour-compte», les «vieilles filles» qui feront de bonnes tantes (à héritage) ou de redoutables intrigantes (*La Cousine Bette* de Balzac). Le célibat est un choix difficile qui suppose une certaine indépendance économique. Il semble pourtant qu'il devienne plus fréquent au début du XXe siècle, surtout en Angleterre, où l'on déplore les *redundant women* dont on ne sait que faire.

Le mariage, «arrangé» par les familles et à leur gré, se veut alliance avant d'être amour, souhaitable, mais pas indispensable. Les parents se défient de la passion, destructrice, passagère, contraire aux bons établissements, aux unions durables qui fondent les familles stables. «Mariages qui se font par amourettes finissent par noisettes», disait Brantôme.

Le holisme familial est total au Moyen Âge, notamment dans l'aristocratie, dominée par les stratégies du lignage, auxquelles l'Église prête la main, en faisant du mariage un sacrement, lié en principe au consentement des époux. Plus nominal que réel, celui-ci contient néanmoins en germe une reconnaissance de l'autonomie des femmes et une personnalisation du mariage, qui s'opère lentement au cours du temps. On assiste à la longue et lente montée du mariage d'amour, processus dans lequel les femmes jouent au XIXe siècle un rôle déterminant et dont les romancières (Jane Austen ou George Sand) font l'apologie. Signe assuré de l'individualisation des femmes, et des hommes aussi, le mariage d'amour annonce la modernité du couple, qui triomphe au XXe siècle. Les termes de l'échange se complexifient : la beauté, l'attrait physique s'y font jour. Un homme aisé peut désirer une fille pauvre, mais belle. Les charmes d'une fille constituent un capital.

Bien entendu, l'amour conjugal peut exister. Mais c'est une chance, ou le triomphe de la vertu. L'amour est plutôt extérieur au mariage : largement toléré pour les hommes, dont la sexualité serait irrépressible, il l'est beaucoup moins pour les femmes, dont l'adultère est passible des tribunaux, alors que celui des maris l'est seulement s'il est commis sous le toit conjugal. Le mariage d'amour est par conséquent à terme la seule issue honorable pour une femme, son embellie.

La femme mariée est à la fois dépendante et maîtresse de maison. À elle de savoir jouer des pouvoirs qui lui sont donnés ou laissés.

Dépendante juridiquement, elle perd son nom. Elle est soumise à des règles de droit qui ont surtout pour but de protéger la famille : coutumes d'Ancien Régime ; Code civil éminemment patriarcal, que Napoléon a donné à la France, et même à l'Europe, qui l'adopte peu ou prou, et qui ne lui laisse pratiquement aucun droit.

Dépendante sexuellement, elle est astreinte au «devoir conjugal», que lui prescrivent les confesseurs. Et au devoir de maternité, qui achève sa féminité. Redoutée, honteuse, la stérilité est toujours imputée à la femme, ce vase qui reçoit une semence supposée toujours féconde. Cette stérilité rend légitime sa répudiation : ce qui arriva à Joséphine de Beauharnais.

Dépendante dans son corps, elle peut être «corrigée», comme un enfant indocile, par le maître de maison, dépositaire de l'ordre domestique. «Qui aime bien, châtie bien.» Battre sa femme est une pratique tolérée, admise, à condition de n'être pas excessive. S'ils entendent crier une épouse malmenée, les voisins n'interviennent pas. «Meunier doit être maître chez lui.»

L'épouse est dépendante économiquement, pour la gestion des biens (en fonction du contrat de mariage, et toujours dans la communauté), dans le choix du domicile et pour toutes les grandes décisions de la vie familiale, y compris l'éducation et le mariage des enfants.

Cependant, ménagère et maîtresse de maison, elle dispose d'influence et de pouvoirs dont elle sait user. Frédéric Le Play (1806-1882), un des premiers sociologues à avoir établi des monographies de familles[1], a mis en évidence le rôle des femmes du peuple dans l'économie familiale et la gestion du budget. Les bourgeoises du Nord, femmes d'industriels, qu'a étudiées Bonnie Smith[2], sont fort attachées à l'espace de leur maison ; catholiques pour la plupart, elles construisent une vie quotidienne active et une mystique féminine qui tourne autour de la reproduction maternelle et ménagère. Mères de familles nombreuses, elles ont un sens élevé de leurs devoirs de transmission, notamment auprès de leurs filles, de leur rôle domestique et mondain, où repas et réceptions tiennent une grande place. Ces femmes très occupées peuvent trouver le bonheur dans l'accomplissement de leurs tâches et l'harmonie de leur foyer. La romancière Mathilde Bourdon ou Joséphine de Gaulle, grand-mère du Général, ont décrit leur existence et leurs drames dans des *domestic novels* très victoriens.

Cette vie de femme dure peu : la ménopause, aussi secrète que la puberté, marque la fin de la vie fertile, et par conséquent le terme de la féminité dans les conceptions du XIXᵉ siècle : « moi qui ne suis plus une femme », laisse entendre George Sand. « Ne plus

1. Dans des séries intitulées *Les Ouvriers européens* ou *Les Ouvriers des Deux Mondes*, sources exceptionnelles pour la connaissance des familles populaires du XIXᵉ siècle.
2. Bonnie Smith, *Les Bourgeoises du nord de la France*, Paris, Perrin, 1989 (traduit de l'américain).

voir son sang», c'est sortir de la maternité, de la sexualité et de la séduction[1].

Le veuvage concerne nécessairement de nombreuses femmes. C'est une période très ambivalente, vécue différemment selon les milieux sociaux, les situations de fortune et les contrats de mariage. C'est à ce moment que le rapport à l'argent est le plus différencié. Voici deux extrêmes : la vieille paysanne des pays d'*oustal* (Gévaudan par exemple), où persiste la pratique d'un droit d'aînesse déguisé, est contrainte à la cohabitation et marginalisée lorsqu'elle est devenue une bouche inutile ; la bourgeoise parisienne de Balzac qui jouit de revenus confortables, en tant que propriétaire ou usufruitière, mène une vie mondaine ou une carrière de dame patronnesse flattée et respectée dans les associations de bienfaisance et les œuvres. Pour certaines, le veuvage marque un temps de pouvoir et de revanche[2].

La vieillesse des femmes se perd dans les sables de l'oubli. Des figures de grands-mères émergent pourtant dans les récits, autobiographiques ou romanesques. George Sand a longuement évoqué la sienne, Marie-Aurore de Saxe, dans *Histoire de ma vie*, et dans ses romans «paysans», *Nanon* par exemple. Très investie dans l'éducation de sa petite-fille Aurore, elle écrit pour elle les *Contes d'une grand-mère*. Proust raconte la fin de sa grand-mère, première expérience mortuaire du petit-fils. Dans la société algérienne des romans-récits d'Assia Djebar (élue à l'Académie française en 2005), les aïeules occupent une place centrale, comme de

---

1. Annick Tillier, «Un âge critique. La ménopause sous le regard des médecins des XVIIIe et XIXe siècles», *Clio. Histoire, femmes et sociétés*, «Maternités», n° 21, 2005, p. 269-280.
2. Cf. Adeline Daumard, *La Bourgeoisie parisienne de 1815 à 1848*, Paris, Albin Michel, 1996 ; Scarlett Beauvalet-Boutouyrie, *Être veuve sous l'Ancien Régime*, Paris, Belin, 2001.

manière générale dans la culture rurale traditionnelle, dans la transmission, la mémoire, l'oralité, collective ou familiale.

Les migrations, l'exode rural fragilisent particulièrement les vieilles femmes qui ne trouvent pas leur place dans les nouvelles structures et qui vivotent au village. Elles peuplent les asiles de vieillards, qui se multiplient au XIXᵉ siècle pour pallier la solitude de ces fins de vie abandonnées.

La mort des femmes est aussi discrète que leur vie. Les testaments, les adieux des chambres mortuaires mettent en scène des chefs de famille, de ménage ou d'exploitation, entrepreneurs ou hommes publics. Les « grands » enterrements concernent des hommes. Ceux de Louise Michel ou de Sarah Bernhardt sont exceptionnels et signalent des femmes quasi héroïsées. Du reste, dans certains pays, y compris l'Angleterre du XIXᵉ siècle, les femmes ne vont pas au cimetière ce jour-là, elles qui, pourtant, entretiendront les tombes.

Une femme qui disparaît, ce n'est pas grand-chose dans l'espace public. Mais dans le cœur des descendants, c'est souvent de la grand-mère, survivant plus longtemps, dont on se souvient. Comme d'un ultime témoin, d'une dernière tendresse.

Les apparences : les cheveux des femmes

La femme est d'abord une image. Un visage, un corps, vêtu ou nu. La femme est apparences. Et ceci, d'autant plus que, dans la culture judéo-chrétienne, elle est assignée au silence en public. Elle doit tantôt se cacher, tantôt se montrer. Des codes très précis régissent ses apparitions et celles de telle ou telle partie de son corps. Les cheveux, par exemple, condensé de sa séduction.

Premier commandement des femmes : la beauté. « Sois belle et tais-toi », lui enjoint-on, depuis la nuit des temps peut-être. En tout cas, la Renaissance a particulièrement insisté sur le partage sexuel entre la beauté féminine et la force masculine. Georges Vigarello montre[1] les modifications du goût et, notamment, la valorisation des parties du corps selon les époques. Jusqu'au XIXe siècle, on scrute « le haut », le visage, puis le buste ; on s'intéresse peu aux jambes. Puis le regard descend vers « le bas », les robes se font plus ajustées à la taille, les ourlets découvrent les chevilles. Au XXe siècle, les jambes entrent en scène. Voyez les longues, si longues jambes des bas Dim. En même temps, la quête de la sveltesse, l'obsession quasi anorexique de la minceur succèdent progressivement à l'attrait pour les rondeurs pulpeuses de « la belle femme » de 1900.

La beauté est un capital dans l'échange amoureux ou la conquête matrimoniale. Un échange inégal où l'homme, le séducteur, est supposé être seul actif, tandis que sa partenaire doit se contenter d'être séduisante, mais ô combien ingénieuse dans sa passivité escomptée. La Marianne de Marivaux sait à merveille nouer son joli mouchoir. Il y a une disgrâce des laides, jusqu'à ce que le XXe siècle la récuse : toutes les femmes peuvent être belles. Affaire de fards et de cosmétiques, disent les magazines féminins. De vêtements aussi, d'où l'importance de la mode, plaisir mais aussi tyrannie, travestissement qui façonne les apparences. Question de volonté, ajoute Marcelle Auclair dans le magazine *Marie-Claire*. En somme, on n'a pas le droit d'être laide. L'esthétique est une éthique.

D'où la révolte de certaines contre cet assujettissement. « Ce sont les vêtements qui nous portent et non l'inverse », dit Virgi-

1. Georges Vigarello, *Histoire de la beauté, op. cit.*

nia Woolf, pas dupe. Et George Sand, se sentant sommée de se décrire aux premières pages de son autobiographie, transcrit avec humour les données anthropométriques de ses papiers d'identité, pour ne plus y revenir. Elle affirme ne pas être jolie et s'en moque, ayant mieux à faire que de s'attarder devant son miroir. Dans son enfance, elle avait été saisie de se voir nue dans une psyché d'un palais de Madrid où son père, officier des armées impériales, tenait garnison avec sa famille.

J'ai choisi de vous parler des cheveux des femmes, parce qu'ils sont le symbole de la féminité, un condensé de sensualité, un atout majeur de séduction, un tison du désir.

Les cheveux, entre sauvagerie et identité

Les cheveux, c'est d'abord une question de pilosité[1]. Le poil est scellé à l'intime, et doublement : par sa pénétration interne, par sa proximité du sexe. Ses racines pénètrent dans le corps, dans « le Moi-peau », pour reprendre l'expression de Didier Anzieu[2], cette mince pellicule qui limite intérieur et extérieur. Le poil recouvre le sexe.

Le poil suggère l'animalité de la toison, de la fourrure. L'enfant sauvage – celui de Jean Itard ou celui de Rudyard Kipling (Mowgli dans *Le Livre de la jungle*) – a des cheveux longs ; on les lui coupe pour le faire entrer en civilisation. Les *sauvages* ont de longues chevelures. Buffon décrit ainsi un Hottentot, à ses yeux

1. Christian Bromberger, « Trichologiques : les langages de la pilosité », *in* Pascal Duret, Jean-Claude Kaufmann, David Le Breton, François de Singly, Georges Vigarello (dir.), *Un corps pour soi*, Paris, PUF, coll. « Pratiques physiques et sociétés », 2005, p. 11-40.
2. *Le Moi-peau*, Paris, Dunod, 1985.

fort proche de l'animalité : il avait « la tête couverte de cheveux hérissés ou d'une laine crépue ; la face voilée par une longue barbe surmontée de deux croissants de poils encore plus grossiers[1] ». Le poil mal domestiqué suggère la présence inquiétante de la nature. D'où la domestication poussée à l'extrême par la perruque, indispensable masque dans la *société de cour*, dont Norbert Elias a montré le rôle dans le processus global de civilisation.

Les cheveux, la pilosité font partie de la personne. La mèche de cheveux est un souvenir que le XIXe siècle élève à la dignité de relique. On enferme, pieusement conservés dans un médaillon, les cheveux blonds d'un enfant, la mèche de l'être aimé. Une amoureuse donne à son amant une mèche pour qu'il la garde sur son cœur ; elle fait de même. Ainsi Adèle et Aimé, d'après la *Correspondance* assez exceptionnelle qu'a publiée Paula Cossart[2]. « J'ai passé deux heures, je crois, à démêler des cheveux que je destine à être réunis à ceux que tu as déjà, écrit Adèle. Je ne veux pas me faire un mérite de la patience qu'il me faut pour les arranger, mais je t'assure qu'il n'y a que toi au monde qui puisses me donner le courage de prendre tous ces cheveux l'un après l'autre. Il est vrai de dire que tout le temps que j'y emploie, je me berce de mille idées délicieuses. » Donner ses cheveux, c'est donner une part de soi, une parcelle de son corps à l'autre. Un fragment qui résiste au temps.

Raser quelqu'un, homme ou femme, c'est prendre possession de lui, l'anonymiser : aux militaires on met la « boule à zéro », pour des raisons hygiéniques, mais aussi disciplinaires ; les esclaves dans l'Antiquité sont tondus ; ainsi que les captifs ou les prisonniers. Dans les prisons françaises du XIXe siècle, les déte-

---

1. Cité par Claudine Haroche et Jean-Jacques Courtine, *Histoire du visage. Exprimer et taire ses émotions (XVIe siècle-début du XIXe siècle)*, Paris, Rivages, 1988 (rééd. « Petite bibliothèque Payot », 1994), p. 126-127.
2. Paula Cossart, *Vingt-cinq ans d'amours adultères, op. cit.*

nus revendiquent le droit de garder barbe et cheveux dont le port différencie visiblement condamnés et prévenus. C'est un des premiers «droits» qui soient reconnus à ces derniers sous la IIIe République. De même, on épargne aux femmes cette «flétrissure humiliante» que serait la tonte de leurs cheveux qu'on laisse mi-courts, selon le vicomte d'Haussonville[1]. Toutefois, les jeunes filles incarcérées ont l'obligation de porter un bonnet «dont pas un cheveu ne doit dépasser». La discipline carcérale passe par celle du corps, par l'ordonnancement des apparences dont la chevelure constitue la partie la plus sensible.

Les déportés connaissent cette humiliation du crâne rasé, de la chevelure coupée. Simone Veil[2] a évoqué ce drame que représente la tonte à l'entrée des camps ; elle ne l'a jamais subie complètement ; on lui a laissé les cheveux courts, et cela l'a aidée, dit-elle. Les cheveux des déportés constituent, parmi les traces, les restes des camps, les plus terribles, parce que ultimes vestiges, quasi vivants, de la personne.

Souffrance pour tous, la perte des cheveux est particulièrement sensible pour les femmes puisqu'on en fait l'insigne même de la féminité. Se voir sans cheveux dans la glace à l'issue d'une chimiothérapie constitue une véritable épreuve.

Différence des sexes et pilosité : la barbe et les cheveux[3]

L'apôtre Paul écrit aux Corinthiens[4] : «La nature elle-même nous apprend qu'il est déshonorant pour un homme d'avoir des

---

1. D'Haussonville, *Enquête parlementaire sur les prisons*, 1872.
2. Émission diffusée sur France 2, le 29 janvier 2005.
3. Sylviane Agacinski, *Métaphysique des sexes. Masculin/féminin aux sources du christianisme*, Paris, Seuil, 2005 ; notamment «Le voile et la barbe».
4. Première Épître aux Corinthiens 11, 14-15.

cheveux longs mais qu'une femme se glorifie de sa longue chevelure. On lui a donné sa longue chevelure en guise de châle.» Tout est dit : la «nature» dicte l'honneur qui commande la longueur des cheveux selon les sexes. Dieu n'a plus qu'à suivre les règles qu'il a lui-même créées. Et bien sûr les fidèles.

La différence des sexes se marque dans la pilosité et ses usages : les cheveux pour les femmes, la barbe pour les hommes. On considère fréquemment les cheveux comme signe d'efféminement. Les époques androgynes les laissent pousser : ainsi le romantisme ou les années postérieures à 1968. Dans les entreprises, à cette époque, les «cheveux longs» sont censurés et les jeunes hommes menacés d'exclusion, ou renvoyés effectivement, s'ils persistent à ne pas les couper. Les conflits furent fréquents à ce sujet.

La virilité s'affirme fréquemment par le crâne rasé ; ainsi dans la Rome antique, puis chrétienne. Paul préconise le voile pour les femmes, mais pas pour les hommes qui, par contre, doivent se couper les cheveux : «Pour l'homme, s'il garde sa chevelure, c'est une honte pour lui.» Les guerriers ont le crâne lisse. Les néonazis en font une proclamation de virilité.

La barbe, c'est autre chose. Ce peut être un signe de virilité. Molière parle de «la puissance de la barbe». «La barbe a la toute-puissance», dit Arnolphe dans L'École des femmes. La sainte qui veut garder sa virginité demande à Dieu de lui donner du poil au menton : la «sainte barbue» se préserve en adoptant l'identité pileuse de l'autre sexe.

Il y a un symbolisme viril de la barbe. Elle signifie puissance, chaleur et fécondité, courage (la crinière des lions) et sagesse : Dieu le Père est représenté barbu, comme Abraham, son substitut. La barbe montre l'ancienneté de l'homme, son antériorité sur la femme selon Clément d'Alexandrie. Elle représente l'âge, la durée fondatrice, le temps. La paternité.

Mais elle doit être domestiquée. Au IVe siècle, les Pères de l'Église combattent «les moines barbus»[1], notamment les disciples d'un certain Eustathe de Sébaste qui prône un ascétisme rigoureux, l'abandon de la sexualité, et préconise de laisser pousser barbe et cheveux. L'indifférenciation de la toison recouvre le désir d'indifférenciation sexuelle. Ainsi, l'unisexe affiché dans le dernier tiers du XXe siècle par nos coiffeurs urbains et aujourd'hui plutôt en recul.

Les cheveux, insigne et symbole de la féminité : *représentations et images*

La représentation des cheveux des femmes est un thème majeur de leur figuration, surtout lorsqu'on veut suggérer leur proximité de la nature, de l'animalité, du sexe et du péché. Ève et Marie-Madeleine sont dotées d'épaisses toisons qui font la beauté de la statuaire médiévale et de la peinture de la Renaissance allemande (Dürer, Cranach).

Marie-Madeleine, la prostituée (pour certains, l'amante du Christ. L'auteur du best-seller *Da Vinci Code* en fait même l'épouse du Christ, dont elle aurait eu une fille, Sarah, c'est dire qu'elle fait rêver…), essuie les pieds du Christ avec ses longs cheveux. Même devenue sainte, elle est représentée avec son abondante chevelure[2].

L'inventaire ruisselant des représentations picturales des cheveux des femmes réserverait bien des surprises : la Vierge de l'An-

---

1. Sylviane Agacinski, *Métaphysique des sexes, op. cit.*, p. 183.
2. Exemples entre mille : église Notre-Dame d'Écouis, statue du XIVe siècle ; au Louvre, statue de Gregor Erhart, 1510.

nonciation visitée dans sa chambre porte ses longs cheveux de jeune fille le plus souvent déployés sur ses épaules. Comme l'ange annonciateur Gabriel, tout aussi chevelu qu'elle. Les anges ont d'ailleurs toujours des cheveux, au point qu'on utilise dans la décoration de l'arbre de Noël des guirlandes scintillantes dites « cheveux d'ange ». Signe de l'ambiguïté sexuelle des anges et des cheveux : les anges n'ont pas de sexe, mais ils ont des cheveux qui peut-être leur tiennent lieu de sexe. À l'opposé, les femmes cruelles, Judith ou Salomé, sont tout aussi chevelues. Les hommes qu'elles décapitent – Holopherne, Jean Baptiste – le sont aussi, comme si elles voulaient s'en prendre à leur surcroît de virilité.

La sensualité des peintres de la Renaissance explose dans la peinture du corps des femmes et de leur chevelure : Botticelli, le Tintoret, Véronèse, mais aussi l'école de Fontainebleau et l'école allemande qui drapent de cheveux Ève, la Mélancolie, les sorcières.

Les impressionnistes jouent des reflets des cheveux de celles qu'ils peignent dans leurs intérieurs, au piano ou cousant, et dans leurs jardins. Renoir surtout. Les peintres viennois y ajoutent une touche érotique.

L'Art nouveau, tout en volutes, fait des cheveux des femmes un de ses principaux motifs[1], une forme familière ; un élément essentiel du décor des villes (façades des immeubles, stations de métro) et des intérieurs. Ainsi dans l'art décoratif de l'école de Nancy, tel qu'on peut le voir dans cette ville à la villa Majorelle : vases, décors de cheminée, poignées de porte, corniches des plafonds… s'entortillent dans ces cheveux.

---

1. Claude Quiguer, *Femmes et machines de 1900. Lecture d'une obsession modern style*, Paris, Klincksieck, coll. « Bibliothèque du XXe siècle », 1979.

Le florilège littéraire est tout aussi fourni, moins dans les romans, réduits à évoquer la couleur de cheveux masqués par les coiffures, que dans les poèmes. Tel celui que, dans *Les Fleurs du mal*, Baudelaire consacre à «La chevelure»[1] : couleurs, odeurs, évocation de la mer, de la houle des sens, sensualité et extase rythment ce magnifique poème, un des plus beaux qu'ait inspirés la chevelure féminine.

Le langage de Kierkegaard, torturé par la sexualité féminine, est tout autre. Dans le *Journal du séducteur*, il évoque ce que lui inspire cette chevelure, qui tient les hommes captifs : «Qu'y a-t-il de plus beau que l'abondante chevelure d'une femme, que cette profusion de boucles ? Et pourtant, c'est un signe de son imperfection, d'après l'Écriture qui en donne plusieurs raisons. Et n'est-ce pas aussi le cas ! Regarde la femme quand elle incline sa tête vers le sol que ses lourdes tresses viennent presque toucher, semblables à des sarments fleuris qui l'attachent à la terre ; n'est-elle pas alors une nature plus imparfaite que l'homme dont le regard est tourné vers le ciel et qui touche simplement le sol ? Et pourtant, cette chevelure est sa beauté, plus encore, sa force ; car c'est par là, selon le mot du poète, qu'elle captive l'homme, l'enchaîne et le lie à la terre. Je voudrais dire à un de ces nigauds qui prêchent l'émancipation : Regarde, la voici dans toute son imperfection, plus faible que l'homme ; si tu en as le courage, coupe ces boucles abondantes, tranche ces lourdes chaînes, et laisse-la courir comme une folle, comme une criminelle, en effroi à tous[2]. » Fascination, peur, haine irriguent ce texte emblématique, où il

1. *Œuvres complètes*, Paris, Gallimard, coll. «Bibliothèque de la Pléiade», t. 1, p. 38.
2. Extraits de *Ou bien… ou bien. Le journal du séducteur*, Paris, Robert Laffont, 1993 ; cité par Françoise Collin, Évelyne Pisier et Eleni Varikas, in *Les Femmes de Platon à Derrida, op. cit.*, p. 541.

est question de tondre les femmes, traitées comme des folles ou des criminelles qu'elles sont toutes, pour se libérer de l'obsession de leur chevelure et peut-être de la culpabilité de les désirer.

Les cheveux, c'est la femme, la chair, la féminité, la tentation, la séduction, le péché.

Il y a une érotisation des cheveux des femmes, surtout au XIXe siècle, grand siècle du cacher/montrer, ressort de l'érotisme. Cela va de l'érotisme raffiné des peintres, en particulier des peintres viennois (Klimt, Schiele…), à l'érotisme plus vulgaire des cartes postales 1900 qui mettent en scène le nu et les cheveux, et plus encore qui représentent les femmes coloniales ou juives.

Cacher les cheveux des femmes : la longue histoire du voile[1]

Le voile était d'usage courant dans le monde méditerranéen antique. Mais sans obligation religieuse. Certes, dans de nombreux rites sacrificiels gréco-romains, on se couvre la tête; mais cela vaut pour les deux sexes. Ni l'Ancien Testament ni les Évangiles n'ont d'exigences à cet égard.

L'apôtre Paul innove. Dans la première Épître aux Corinthiens (11, 5-10), il écrit que, dans les assemblées, les hommes doivent se découvrir et les femmes, se couvrir. « Toute femme qui prie ou prophétise tête nue fait affront à son chef; car c'est exactement comme si elle était rasée. Si la femme ne porte pas de voile, qu'elle se fasse tondre! Mais si c'est une honte pour une femme d'être tondue ou rasée, qu'elle porte un voile! » Parce que la femme a été créée pour l'homme, « la femme doit porter sur

---

1. Rosine A. Lambin, *Le Voile des femmes. Un inventaire historique, social et psychologique*, Berne, Peter Lang, 1999; Jean-Claude Flügel, *Le Rêveur nu, de la parure vestimentaire*, Paris, Aubier-Montaigne (1930), 1982.

sa tête la marque de sa dépendance, à cause des anges». Les femmes doivent se taire dans les assemblées. Se voiler si elles prophétisent. Se voiler comme signe de dépendance : «La femme est donc tenue de porter sur la tête un signe d'autorité.»

Après Paul, les Pères de l'Église surenchérissent. Tertullien, quant à lui, consacre deux traités à ce qui est devenu une préoccupation majeure de la chrétienté naissante : *Le Voile des vierges* et *La Toilette des femmes*.

Ainsi, le voile revêt des significations multiples, religieuses et civiles, vis-à-vis de Dieu, et vis-à-vis de l'homme, son représentant. Il est signe de dépendance, de pudeur, d'honneur.

Le voile est signe d'autorité : à Rome déjà, une femme mariée qui sort sans son fichu, la *rica*, peut être contrainte au divorce. Les jeunes filles ne portent pas de voile ; elles revendiquent même de ne pas en porter. La femme mariée est une femme appropriée, donc voilée. Le voile est instrument de pudeur. Tertullien trouve les bonnets et les fichus insuffisants. Il faut voiler le corps des femmes et leur chevelure, objets de tentations.

Signe de virginité, le voile figure l'hymen. Le voile de la mariée est un voile nuptial que seul le mari doit défaire comme il déchire l'hymen. Il signifie oblation, offrande, sacrifice de l'épouse.

Ou encore, voile d'oblation de *la religieuse*, qui, le jour de sa profession, offre sa chevelure à Dieu et se voile pour lui. L'Église fait du voile des religieuses une obligation, le sceau de leur chasteté et de leur appartenance à Dieu, surtout à partir du IVe siècle. L'Église impose le voile aux religieuses et le conseille aux autres femmes ; à tout le moins doivent-elles avoir la tête couverte.

Cette prescription est parfois difficile à accepter. Marguerite Audoux, dans son roman autobiographique, *Marie-Claire*, met en scène une religieuse qui souffre de cette vêture : «Quand je m'habille, il me semble que je me mets dans une maison où il fait toujours noir», dit sœur Désirée des Anges; le soir, elle quitte avec plaisir robe et voile. À l'agonie, elle tente de s'en défaire; elle se dévoile et laisse flotter ses cheveux, au grand scandale de ses «sœurs», qui la soupçonnent d'avoir trahi ses vœux de chasteté. Véronique «trouva que c'était honteux pour une religieuse de laisser voir ses cheveux».

La question du voile fut un point central des discussions du concile Vatican II entre les clercs et les religieuses qui demandaient un allègement de leur costume, si peu compatible avec les exigences de la vie moderne. Fidèles aux Pères de l'Église, les clercs, eux-mêmes prompts à se laïciser, résistèrent et maintinrent l'obligation du voile, tout en le simplifiant.

Les relations entre l'islam et le voile sont controversées et on ne les tranchera pas ici. Selon Malek Chebel[1], le Coran n'en fait aucune obligation. Mais l'islam a grandi au sein de cultures méditerranéennes qui cachent les femmes, les enferment (gynécée, harem, femme cachée de la culture arabo-andalouse). L'usage du voile par les femmes elles-mêmes est complexe, comme le montrent, pour les Algériennes, les romans d'Assia Djebar. Dans un monde d'hommes, c'est pour elles la seule possibilité de circuler dans l'espace public. À l'époque de la guerre d'Algérie, la «femme sans sépulture» de Césarée (Cherchell) dissimule ses liaisons avec le maquis sous son voile. Aujourd'hui, des femmes iraniennes même très libérées se voilent pour se protéger, s'abriter du regard, du pouvoir et des hommes. Sous le voile, elles s'habillent comme elles l'entendent.

Mais, et c'est peut-être un signe de résistance à l'arabisation,

---

1. Cf. notamment *L'Esprit de sérail. Mythes et pratiques sexuels au Maghreb*, Paris, Payot, 1988, rééd. 1995; *Encyclopédie de l'amour en Islam*, Paris, Payot, 1995.

les femmes berbères ne se voilent pas. Les féministes au Maghreb, minoritaires il est vrai, font du refus du voile une affirmation de leur liberté : ainsi au Maroc.

D'autant plus que l'intégrisme entend les y soumettre. Le voile est un symbole de domination des femmes et de leur corps. Je te voile parce que tu es à moi. On comprend qu'il soit un enjeu, qu'illustrent en France aussi bien les revendications de *Ni putes ni soumises* que les débats autour de la loi sur l'interdiction du voile à l'école publique, qui ont divisé les féministes elles-mêmes.

Coiffer ses cheveux, instrument de séduction

La coiffure est, par conséquent, un enjeu de convenances, de distinction et de mode.

Au XIXᵉ siècle, une femme « comme il faut » se couvre la tête : une femme en cheveux est populaire, voire vulgaire ; sur les marchés, on distingue les bourgeoises en chapeau, qui font leurs courses, des marchandes souvent nu-tête. La mode s'empare très tôt du couvre-chef pour les hommes comme pour les femmes. Mais à partir des XVIIᵉ-XVIIIᵉ siècles, il se produit une étonnante inflation des coiffures pour les femmes, qui deviennent de véritables pièces montées, « à la belle poule », comme Marie-Antoinette aimait à en porter.

Puis, l'attention se porte sur les cheveux eux-mêmes. On les arrange différemment. Mais en public, ils sont rarement déployés, plutôt serrés en chignon que l'on défait dans l'intimité du chez-soi, plus encore de la chambre à coucher. Le soir des noces, l'épousée dénoue ses cheveux pour son mari et lui réserve désormais ce privilège. Adorno remarque qu'il y a chez les femmes un fétichisme de la coiffure. La jeune femme qui se donne à son amant est anxieuse de sa robe et de sa coiffure.

La coiffure transforme les cheveux en vêtement, en objet d'art et de mode. Ils participent à la mise en scène de la séduction, de l'élégance. Comme la modiste, le coiffeur entre en scène, devient le complice, voire le confident, des femmes ; les « salons de coiffure » font office de boudoirs.

Longueur, coupe, couleur des cheveux sont l'objet de codes et de modes. La couleur des cheveux serait un chapitre en soi. Les hommes, dit-on, préfèrent les blondes[1]. La plupart des peintres, assurément ; ils affectionnent ces chevelures qui illuminent leurs toiles (ainsi Véronèse ou le Tintoret). Influencé par l'Espagne de Goya, par l'Orient, le romantisme apprécie le jais des bandeaux sombres. Mais à nouveau la blondeur gagne du terrain : celle, douce et candide, de l'ange du foyer à l'anglaise ; celle, luxuriante et sensuelle, de *Nana* dont le roman de Zola caresse les cheveux d'or, qui s'étalent dans les toiles impressionnistes, de Renoir surtout. Au XXᵉ siècle, les vamps sont plutôt blondes : Marilyn, Brigitte Bardot, Grace Kelly, Madonna. Par contre, traditionnellement, les rousses, chères à Toulouse-Lautrec, n'ont pas bonne réputation ; le sang leur monte à la peau, elles sont un peu sorcières[2].

Se couper les cheveux : signe d'émancipation.
Les années 1920-1930, dites « folles »[3]

Les premières à se couper les cheveux furent les étudiantes russes des années 1870-1880, nihilistes ou non, qui pénètrent

1. Joanna Pitman, *Les Blondes. Une drôle d'histoire, d'Aphrodite à Madonna*, Paris, Autrement, 2005 (traduit de l'anglais).
2. Xavier Fauche, *Roux et rousses. Un éclat très particulier*, Paris, Gallimard, coll. « Découvertes », 1997.
3. Christine Bard, *Les Garçonnes. Modes et fantasmes des Années folles*, Paris, Flammarion, 1998.

dans les facultés de médecine pour s'occuper de la santé du peuple. S'esquisse une silhouette de jeune femme aux cheveux courts («tondue», disaient certains) qui séduisit Louise Michel. Elle-même se coupa les cheveux pour combattre sous la Commune et les porta toujours mi-longs. Libération politique, libération des mœurs, affirmation d'un saphisme androgyne ou d'une extrême féminité (la poétesse Renée Vivien et ses allures de page) caractérisent la *new woman* de la Belle Époque. Autour de 1900, le féminisme européen, très vigoureux, se développe et revendique l'affranchissement du corps. Les corsets tombent, les jupes raccourcissent ainsi que les cheveux. Colette, dès 1902, coupe les longues nattes de Claudine (sa première identité littéraire). Elle vante les plaisirs des «travestissements d'un sexe incertain».

La guerre accélère le mouvement. Pour les commodités du travail, infirmières, ambulancières, conductrices de tramway, «munitionnettes» des usines de guerre, que montrent tant de cartes postales, se modernisent.

Après guerre, la nouvelle coupe se généralise avec des variantes[1]. Tantôt il s'agit de cheveux frisés, «indéfrisables» produites par les bigoudis électriques : les femmes ressemblent à des moutons. Tantôt de coupes raides qui donnent aux femmes des allures de «garçonnes», surtout quand elles portent costume tailleur, cravate et fume-cigarette. La chanson de Dréan fait écho à la nouvelle mode : «Elle s'était fait couper les cheveux/Comme une petite fille/Gentille/Elle s'était fait couper les cheveux/En s'disant/Ça ira beaucoup mieux/Car les femmes font comme les messieurs/Pour suivre la mode/Commode/Elles se font toutes couper les cheveux. »

1. Steven Zdatny, «La mode à la garçonne, 1900-1925 : une histoire sociale des coupes de cheveux», *Le Mouvement social*, n° 174, janvier-mars 1996, p. 23-56.

Au début, cette mode est acceptée avec réticence, même par Colette qui, pourtant, avait donné l'exemple mais critique maintenant ce manque de féminité. La haute couture – Worth, Madeleine Vionnet, Poiret – résiste à la « masculinisation ». D'autres, au contraire – des femmes surtout –, éprouvent un sentiment de libération, telle l'Italienne Sibilla Aleramo (1876-1960) qui vante les cheveux *alla maschietta*: « C'est comme une illumination. On a le sentiment, tout simplement, d'être passé d'une époque à une autre. »

Plusieurs tendances s'affirment: la jeunesse, la modernité, la volonté de s'émanciper des modes d'autrefois, du monde d'avant-guerre mort avec elles. Un désir de légèreté, propice au sport. De libération sexuelle: les lesbiennes soutiennent cette mode qui leur convient si bien. Puis, cette pratique se généralise. Des magazines – *Minerva, Vogue* – se convertissent, de même que certains grands couturiers, Coco Chanel en tête.

Ainsi se dessine une silhouette androgyne. Vêtements nouveaux: le chapeau cloche, le tailleur (Chanel), la jupe-culotte, le pantalon. Attitudes nouvelles: fumer, conduire une voiture, lire son journal en public, aller au café. Nouvelle sexualité dans une vague d'homosexualité qui concerne toute l'Europe[1]. Apparaissent de nouveaux types de femmes, souvent en couple: Colette et la baronne de Zuylen, Sylvia Beach et Adrienne Monnier, les fameuses libraires de la rue de l'Odéon, éditrices de James Joyce[2] et Suzanne Malherbe, *alias* Marcel Moore, Gertrude Stein et Romaine Brooks, Claude Cahun, la célèbre photographe, etc. Les femmes aspirent à des rôles nouveaux, pénètrent à l'université, s'emparent

---

1. Florence Tamagne, *Histoire de l'homosexualité en Europe. Berlin, Londres, Paris, 1919-1939*, Paris, Seuil, 2000.
2. Laure Murat, *Passage de l'Odéon. Sylvia Beach, Adrienne Monnier et la vie littéraire à Paris dans l'entre-deux-guerres*, Paris, Fayard, 2003.

de disciplines nouvelles (psychanalyse, ethnologie, comme Germaine Tillion et Denise Griaule, qui explorent l'Afrique), exercent des métiers qui jusque-là leur étaient fermés, prétendent même à la création littéraire ou artistique (peinture surtout), et se faufilent jusque dans les avant-gardes. Ces avancées, à bien des égards définitives, sont brutalement stoppées, ou freinées, par la crise et la montée des totalitarismes, résolument antiféministes.

La coupe des cheveux, dans ce moment éclatant des «Années folles», signifie nouvelle femme, nouvelle féminité.

Tondre les cheveux des femmes

La tonte des cheveux est, de longue date, un signe d'ignominie, imposé aux vaincus, aux prisonniers, aux esclaves. Dès l'Antiquité, et parfois au Moyen Âge. On tondait les sorcières, comme si leur longue chevelure était maléfique. Ainsi Jeanne d'Arc (la Falconetti incarne à jamais la Jeanne tondue de Dreyer).

Après la Seconde Guerre et l'Occupation, ce fut, en France, une pratique massivement appliquée à l'encontre des femmes suspectes de «collaboration horizontale». C'est un des aspects les plus sinistres de la Libération : *un carnaval moche*, comme dit Alain Brossat, un des premiers à l'avoir étudié[1]. Fabrice Virgili lui a consacré sa thèse. Il a montré l'ampleur, voire la généralité, d'une pratique étendue à toute la France et qui a touché peut-être vingt mille femmes, aussi bien dans les grandes villes que dans les campagnes. La «tonte» commence dès le printemps 1944, avec une deuxième vague en mai-juin 1945 et le retour des prisonniers, des gens du STO (Service du travail obligatoire), et la découverte des camps. Le rituel est partout le même : promenades accompa-

1. Alain Brossat, *Les Tondues. Un carnaval moche*, Paris, Manya, 1992.

gnant les tontes publiques, pratiquées souvent sur une estrade, occasion de dérision, de rigolade, de défoulement sur des femmes prises comme exutoire des lâchetés de tous.

Ce qui frappe, une fois de plus, c'est l'importance symbolique des cheveux. «Quand la tondeuse la privera-t-elle [la femme] d'un de ses moyens de séduction?» lit-on dans un éditorial du journal *La Libération de l'Aunis et de la Saintonge*. Le corps est dégradé par la coupe des cheveux. Il est mis à nu. Sur le crâne rasé, on dessine la croix gammée. «Par la tonte, il s'agit non seulement d'exclure la femme de la communauté nationale, mais aussi de détruire l'image de la féminité. À l'érotisation qui prépare la tonte, succède un processus de désexualisation», écrit Fabrice Virgili[1]. Il faut punir les femmes de leur conduite honteuse, purifier le peuple de France de ses compromissions, le corps des femmes étant pris comme bouc émissaire. «Tout se passe comme si la tondue était chargée d'emporter avec elle dans le désert de l'exil social tous les péchés, tous les crimes de la collaboration», commente Alain Brossat. La tonte est un rite expiatoire de purification. Une mesure hygiénique de propreté, de désinfection et d'éradication du mal. On mesure la valeur politique du corps de la femme, enjeu de l'honneur, enjeu de pouvoir. Et en particulier de ses cheveux.

Cela permet de comprendre, d'une autre manière, les passions exprimées autour du voile. En France et dans le monde. Voiler les femmes, c'est dire leur dépendance, rétablir la hiérarchie des sexes qui, pour certains, est le fondement de l'ordre de la société.

On n'en a pas fini avec les cheveux des femmes. Comme si la marche du monde reposait sur leur tête.

---

1. Fabrice Virgili, *La France «virile». Des femmes tondues à la Libération*, Paris, Payot, 2000.

Le sexe des femmes

Le sexe des femmes : voilà ce qui nous occupera maintenant.

En fond de tableau : la toile de Courbet, *L'Origine du monde*, aujourd'hui au musée d'Orsay. Elle fut peinte pour un amateur, Kalil Bey, ex-ambassadeur turc, collectionneur de toiles érotiques, qui la gardait secrètement sous une tenture, comme un trésor scandaleux ; elle l'était en effet ; on n'avait jamais osé représenter la vulve entrouverte d'une femme. Le tableau appartint ultérieurement au psychanalyste Jacques Lacan.

Le sexe, c'est « la petite différence » anatomique qui inscrit les nouveau-nés dans l'un ou l'autre sexe, fait qu'on les classe comme homme ou femme. L'indifférenciation est un drame. Michel Foucault a publié en 1978 les souvenirs d'*Herculine Barbin dite Alexina B*, seul titre d'une collection, qu'il avait lancée, intitulée « Les vies parallèles ». Ils racontent le drame d'un hermaphrodite, qualifié de femme, qui se sentait un homme, obtint cette reconnaissance, mais finit par se suicider, à cause de la difficulté à vivre cette situation. La transsexualité est aujourd'hui reconnue sans être pour autant plus aisée à vivre.

Le plus souvent, on s'inscrit dans la dualité, dans *l'arrangement des sexes*, pour reprendre l'expression d'Erving Goffman[1], par lequel la société organise la différence. Les travaux pionniers viennent des anthropologues : telle Margaret Mead (1935), qui inspira Simone de Beauvoir, dans *Le Deuxième Sexe* (1949). « On ne naît pas femme, on le devient » : la formule fameuse rompt avec le naturalisme et invite à la déconstruction des définitions

---

1. Erving Goffman, *L'Arrangement des sexes* (1977), Paris, La Dispute, 2002 (traduit de l'américain), présenté par Claude Zaidman.

traditionnelles. Les rapports du sexe (biologique) et du genre (social, culturel) sont au cœur de la réflexion féministe contemporaine, qui hésite sur la coupure : le sexe est-il la détermination première ? N'appartient-il pas au genre, dans un corps dont l'historicité serait prioritaire ?

Je me limiterai à quelques remarques sur l'histoire de la différence des sexes.

D'abord sur *la représentation* du sexe féminin. D'Aristote à Freud, le sexe féminin est vu comme un manque, un défaut, une défaillance de la nature. Pour Aristote, la femme est un homme raté, un être incomplet, une forme mal cuite. Freud fait de « l'envie du pénis » le cœur obsédant de la sexualité féminine. La femme est un être en creux, troué, marqué pour la possession, la passivité. Par son anatomie. Mais aussi par sa biologie. Ses humeurs – l'eau, le sang (le sang impur), le lait – n'ont pas de pouvoir créateur à l'égal du sperme, elles sont seulement nourricières. Dans la génération, la femme ne fournit qu'un réceptacle, un vase dont on peut seulement espérer qu'il soit calme et chaud. On ne découvrira le mécanisme de l'ovulation qu'au XVIIIe siècle et c'est seulement au milieu du XIXe qu'on appréciera son importance. Inférieure, la femme l'est d'abord par son sexe, sa génitalité.

Toutes les époques n'accordent pas la même importance au sexe. Certaines le minimisent. Ainsi le Moyen Âge, pour lequel les sexes sont des variétés d'un même genre. La Renaissance, on l'a dit, distingue le « haut » et le « bas » du corps, exalte le haut, noble siège de la beauté, et déprécie le « bas », animal.

Siècle des sciences naturelles et médicales, le XVIIIe siècle découvre le « bas », celui du plaisir et de la vie. Il « invente » la sexualité, avec une insatiable « volonté de savoir » le sexe, fondement de l'identité et de l'histoire des êtres. Il sexualise les individus, et notamment les femmes, comme l'a montré, dans la lignée de Foucault, Thomas Laqueur[1]. La femme devient son sexe, qui l'absorbe et l'imprègne tout entière. «Il n'y a nulle parité entre les deux sexes quant à la conséquence du sexe, écrit Rousseau (*Émile*). Le mâle n'est mâle qu'en certains instants, la femelle est femme toute sa vie, ou du moins toute sa jeunesse; tout la rappelle sans cesse à son sexe, et, pour en bien remplir les fonctions, il lui faut une constitution qui s'y rapporte»: ménagements, repos, «vie molle et sédentaire». Il lui faut la protection de la famille, l'ombre de la maison, la paix du foyer. La femme se confond avec son sexe et se réduit à celui-ci, qui marque sa fonction dans la famille et sa place dans la société.

Le sexe des femmes doit être protégé, clos et possédé. D'où l'importance accordée à l'hymen et à la virginité. Surtout par le christianisme qui fait de la chasteté et du célibat un état supérieur. Pour les Pères de l'Église, la chair est faible. Le péché de chair est le plus terrible des péchés. Aujourd'hui encore, pour l'Église de Jean-Paul II et de Benoît XVI, la sexualité constitue un bastion de résistance au monde moderne, une ligne Maginot de la morale chrétienne, voire du sacré.

La virginité est une valeur suprême pour les femmes et surtout pour les filles. La Vierge Marie, l'opposé de Marie-Madeleine, est leur modèle et leur protectrice. Elle est à la fois conçue sans péché (dogme de l'Immaculée Conception, Pie IX en 1854) et elle conçoit sans homme, «par l'opération du Saint-Esprit». La Vierge est pourtant pleinement mère; elle porte son fils, le nourrit, le suit dans ses prédications, le soutient dans sa passion, l'assiste dans la mort: mère parfaite, mais seulement mère. La

---

1. Thomas Laqueur, *La Fabrique du sexe. Essai sur le corps et le genre en Occident*, Paris, Gallimard, 1992 (traduit de l'américain).

Vierge est reine et mère de l'Église médiévale, médiatrice, protectrice. «Au XIIIe siècle, Dieu changea de sexe», écrit Michelet. Les vierges des cathédrales et des églises disent cette présence apaisante mais aussi obsédante de Marie, reine des couvents, patronne des jeunes filles.

Enfants de Marie, elles sont astreintes à la pureté. La pudeur est leur parure. Leur virginité au mariage est leur capital le plus précieux. Elles doivent se défendre de la séduction et du viol, que pourtant s'autorisent les bandes de jeunes en quête d'initiation. Gare aux filles seules, la nuit. Elles ne sont pas plus protégées que les femmes dans la ville moderne nocturne. Le corps des femmes est en danger.

La virginité des filles appartient aux hommes qui la convoitent. Mythe plus que réalité, le droit de cuissage n'en est pas moins riche de significations. Le droit de l'époux est plus réel qui s'empare de sa femme par la nuit de noces, véritable rite de prise de possession. Rituel longtemps public (la vérification du drap taché, qui survit en Afrique du Nord), la nuit de noces devient de plus en plus intime. Elle se privatise aux XVIIIe et XIXe siècles, comme le montre la pratique du voyage de noces.

La sexualité des femmes: un mystère, et donnée comme tel.

Mystérieuse, elle fait peur. Inconnue, méconnue, sa représentation oscille entre deux pôles contraires: l'avidité et la frigidité. À la limite, l'hystérie.

Avidité: le sexe des femmes est un puits sans fond, où l'homme s'épuise, perd ses forces et sa vie jusqu'à l'impuissance. D'où pour le soldat, le sportif, qui ont besoin de toutes leurs forces pour vaincre, la nécessité d'éloigner les femmes. Selon Kierkegaard, «la femme inspire l'homme aussi longtemps qu'il ne la possède pas». Cette possession l'anéantit. Cette peur de la sexualité de la femme qu'on ne peut jamais satisfaire est la source du fiasco, hantise de Stendhal.

Frigidité : l'idée selon laquelle les femmes n'éprouvent pas de plaisir, ne désirent pas l'acte sexuel, une corvée pour elles, est largement répandue. Balzac, dans *La Physiologie du mariage*, texte allusif et précis à la fois, montre des femmes qui prétextent la migraine et cherchent à se dérober au devoir conjugal que leur prescrivent pourtant leurs confesseurs.

D'où, pour les hommes, la nécessité, la justification de trouver ailleurs leur plaisir : maîtresses, prostituées, filles galantes des maisons de rendez-vous, en plein essor au XIXᵉ siècle, sont chargées de pallier cette « misère sexuelle » [1].

Les hommes rêvent, convoitent, imaginent le sexe des femmes. C'est la source de l'érotisme, de la pornographie, du sadomasochisme. Et sans doute de l'excision des petites filles, pratique largement répandue, aujourd'hui encore, en Afrique musulmane, et même en Europe, par suite des migrations. Le plaisir féminin est-il tolérable ?

Les femmes à la sexualité sans frein sont dangereuses. Maléfiques, elles ressemblent aux sorcières, dotées de « vulves insatiables ». Même quand elles sont vieilles, hors de l'âge permis de l'amour, les sorcières ont la réputation de chevaucher les hommes, ce qui, dans la chrétienté, est contraire à la position dite naturelle, de les prendre par l'arrière : en somme, de faire l'amour comme on ne doit pas. Diane figure la sexualité libérée. La sorcière alimente la noirceur des nuits de sabbat.

L'hystérique, c'est la femme malade de son sexe, sujette à des fureurs utérines qui la rendent quasi folle, objet de la clinique des

1. Alain Corbin, *Les Filles de noce. Misère sexuelle et prostitution au XIXᵉ siècle, op. cit.*

psychiatres. Charcot, lors des lundis de la Salpêtrière, scrute ses mouvements convulsifs, qui explosent parfois dans des manifestations collectives d'internats ou de fabriques au XIXe siècle. Nouvelles sorcières, les convulsionnaires ressemblent aux possédées de Loudun que tentait d'exorciser Urbain Grandier. Mais c'est leur utérus, non le diable, qu'on incrimine. L'hystérie ouvre la voie des «maladies des femmes» et fraye le chemin de leur psychiatrisation et de leur psychanalyse.

Au XIXe siècle, l'hystérique se métamorphose et il se produit un double mouvement, qu'identifie Nicole Edelman[1]: 1) l'hystérie «remonte» de la matrice au cerveau; elle atteint les nerfs, malades. La femme devient «nerveuse»; 2) du coup, on note une extension à l'autre sexe. L'hystérie touche les hommes. «Je suis hystérique», écrit Flaubert à Sand. Charcot confirme. La guerre accentuera le diagnostic de la bisexualité de l'hystérie.

La sexualité permise, voire requise, est conjugale. Mais nous n'en savons pas grand-chose. Autel de la sexualité, le lit conjugal échappe aux regards. Même l'Église recommande la discrétion aux confesseurs, en dépit de sa réprobation du péché d'Onan[2]. Il n'y a pourtant guère d'autre moyen d'éviter l'engendrement, et le coït interrompu, dans une France qui restreint ses naissances depuis le XVIIe siècle, est largement pratiqué. «On trompe la nature jusques dans les villages», écrit Moheau dans ses *Recherches et considérations sur la population de la France* (1778). De plus en plus soucieuses de limiter la taille de leur famille et de prévenir les grossesses non désirées, les femmes appréciaient

1. Nicole Edelman, *Les Métamorphoses de l'hystérique au XIXe siècle*, Paris, La Découverte, 2003.
2. Claude Langlois, *Le Crime d'Onan: le discours catholique sur la limitation des naissances (vers 1820-1968)*, Paris, Les Belles Lettres, coll. «L'âne d'or», 2005.

les maris « qui font attention » et elles-mêmes savaient se dérober. Elles ne répugnaient pas toujours, loin de là, aux caresses conjugales, et se plaignaient de la négligence, voire de l'impuissance, de leurs compagnons.

La découverte du plaisir féminin est ancienne. Les chevaliers du Moyen Âge ont peur du lit et de la femme insatiable qu'ils redoutent de ne pouvoir satisfaire, selon Georges Duby. La Renaissance surtout favorise cette reconnaissance du désir. Les médecins détectent une eau féminine, qui serait signe de jouissance et qui aide à la génération. La cour des Valois était propice aux expériences de toutes sortes et même aux mots pour les dire.

Le désir des femmes s'exprime dans certains textes du Moyen Âge et surtout de la Renaissance, les poésies érotiques de Pernette du Guillet par exemple. Les dames galantes, dont Brantôme évoque la vie, savent jouir du sexe. Selon Pierre Camporesi, Catherine Sforza se vantait de prendre des postures propices à *l'orgasme*[1], mot inemployé, alors qu'on n'ignorait pas la chose, qu'il faut chercher dans l'euphémisme et les tournures du langage poétique.

Le XVIIe siècle de la Contre-Réforme et du jansénisme est beaucoup plus prude. Le libertinage du XVIIIe est surtout masculin, comme l'érotisme du XIXe. Alain Corbin, qui prépare une anthologie de textes érotiques du XIXe, dit avoir beaucoup de mal à trouver des textes de femmes. Parler du sexe est alors objet d'un profond refoulement. Même George Sand, si libre de mœurs, garde le silence, y compris dans son autobiographie, où elle se refuse à toute confidence intime. Les lettres brûlantes de sensualité qu'elle adresse à Michel de Bourges, son amant, lorsqu'il

---

1. Brantôme, *Vies des dames galantes* (1666) ; Pierre Camporesi, *Les Baumes de l'amour*, Paris, Hachette, 1990.

la quitte, figurent dans son œuvre une exception. Certains procès, pour crime passionnel[1], font entendre le désir charnel de
femmes du peuple qui attendent que leurs compagnons fassent
bien l'amour, et qui les trompent par défaut.

De l'homosexualité féminine, on parle encore moins, en raison des tabous qui la dissimulent. Au point que Marie-Jo Bonnet, une de ses premières historiennes, a failli renoncer à la
trouver, se réfugiant dans les rares témoignages littéraires, comme
la *Lélia* de George Sand, qui fit d'ailleurs scandale[2], et plus tard
la déchiffrant dans l'image. Les jeunes filles entre elles connaissent pourtant les émois du cœur et du corps, dans les pension-
nats, anglais surtout, sans doute plus libres, qu'a étudiés Caroll
Smith-Rosenberg.

Tout change autour de 1900. « En ce temps-là Sapho ressus-
cita dans Paris », écrit Arsène Houssaye. Les « Amazones de Paris »
– Natalie Clifford Barney, Renée Vivien, Colette, bien d'autres –
retrouvent les chemins de Lesbos et animent, rive gauche, des
cercles littéraires libres et raffinés[3]. C'est le temps des jeunes filles
en fleurs, qui tourmentent le « narrateur ».

La guerre sépare et déchire les couples. Elle autorise bien
des découvertes sexuelles, parfois dramatiques. Radclyffe Hall
évoque ces souffrances identitaires dans *The Well of Loneliness*
(1928, *Le Puits de solitude*). Les « Années folles » marquent, dans les

---

1. Joëlle Guillais, *La Chair de l'autre. Le crime passionnel au XIXᵉ siècle*,
Paris, Olivier Orban, 1986 ; Anne-Marie Sohn, *Chrysalides. Femmes dans la
vie privée, XIXᵉ-XXᵉ siècles, op. cit.*
2. Marie-Jo Bonnet, *Les Relations entre les femmes*, Paris, Odile Jacob,
1995 (première édition, 1981) ; *Les Femmes dans l'art*, Paris, La Martinière,
2004.
3. Nicole G. Albert, *Saphisme et décadence dans Paris fin-de-siècle*, Paris,
La Martinière, 2005.

grandes capitales européennes, l'explosion d'une homosexualité beaucoup plus joyeuse et libérée, où les lesbiennes sont très présentes. Virginia Woolf, Violette Trefusis et leurs amis du groupe de Bloomsburry, Gertrude Stein, Romaine Brooks, Adrienne Monnier et Sylvia Beach[1] en sont les figures les plus connues. Nous savons qu'elles s'aimaient, qu'elles avaient du plaisir à être ensemble, qu'elles alliaient jouissance et création. Pas beaucoup plus.

L'expression d'un érotisme féminin, voire d'une pornographie, est en somme un phénomène récent, qui a touché le roman (Virginie Despentes, Catherine Millet) et surtout le cinéma (Catherine Breillat).

Rose ou noir, rose et noir, le continent de la sexualité féminine reste une terre inconnue, un univers à explorer.

La maternité

La maternité est la grande affaire des femmes. « La mère devrait être notre religion », disait Zola.

Elle a bénéficié de nombreux travaux, notamment grâce à Yvonne Knibiehler[2] qui préside actuellement la Société d'histoire de la naissance, et à Jacques Gélis[3].

---

1. Outre Florence Tamagne, *Histoire de l'homosexualité en Europe. Berlin, Londres, Paris, 1919-1939, op. cit.*, cf. Laure Murat, *Passage de l'Odéon. Sylvia Beach, Adrienne Monnier et la vie littéraire à Paris dans l'entre-deux-guerres, op. cit.*

2. Yvonne Knibiehler et Catherine Marand-Fouquet, *Histoire des mères du Moyen Âge à nos jours*, Paris, Montalba, 1980, rééd. Hachette, coll. « Pluriel », 1982 ; Yvonne Knibiehler, *La Révolution maternelle depuis 1945. Femmes, maternité, citoyenneté*, Paris, Perrin, 1997.

3. Jacques Gélis, *L'Arbre et le Fruit. La naissance dans l'Occident moderne, XVIe-XIXe siècles*, Paris, Fayard, 1984.

La maternité est une réalité multiforme, dont il nous faut dégager quelques traits historiques majeurs.

Pour les femmes, c'est une source de l'identité, le fondement de la différence reconnue, même quand elle n'est pas vécue. Une femme engendre une femme, dit Luce Irigaray ; elle produit de l'autre, mais aussi du même. Disciple italienne d'Irigaray, Luisa Muraro parle du corps à corps avec la mère, du «bonheur extraordinaire qu'il y a à être née du même sexe que ma mère[1]».

La maternité est un moment et un état. Bien au-delà de la naissance, la maternité dure toute la vie. Il en va de même, quoique à un moindre degré, pour les enfants, auxquels elle donne le jour, la nourriture, une première socialisation. D'où le drame de l'abandon. Et les difficultés de l'adoption, qui le suppose[2].

La société occidentale connaît une assomption de la maternité. Elle l'a nimbée d'amour, «l'amour en plus», selon l'expression d'Élisabeth Badinter qui décrit la montée du sentiment maternel depuis le XVIIe siècle[3] et celle de la figure de la mère, dans les pratiques (santé, puériculture, prime éducation) comme dans la symbolique. Un des traits les plus frappants de l'époque contemporaine réside dans la politisation de la maternité, aussi bien dans les États totalitaires, que dans la République. Celle-ci s'incarne dans Marianne, mère des citoyens, que Zola célèbre dans son roman *Fécondité*. L'Amérique invente la fête des Mères, dans les années 1920, mais Vichy la légalise.

1. Luisa Muraro, *L'Ordre symbolique de la mère*, Paris, L'Harmattan, 2003 (traduit de l'italien).

2. Évelyne Pisier raconte son expérience dans son roman *Une question d'âge*, Paris, Stock, 2005.

3. Élisabeth Badinter, *L'Amour en plus. Histoire du sentiment maternel, XVIIe-XXe siècle*, Paris, Flammarion, 1980.

Parce que la fonction maternelle est un pilier de la société et de la force des États, on la socialise. La politique investit le corps de la mère et fait du contrôle des naissances un enjeu majeur.

Le premier problème est bien celui de la conception : avoir ou ne pas avoir d'enfant. Concevoir ou pas. Le message de l'ange Gabriel vaut pour toutes les femmes, qui connaissent toutes (ou presque) un jour leur annonciation, souhaitée ou redoutée. Ce qui était une fatalité est devenu un choix. Et désormais un choix des femmes, aussi et peut-être surtout : ce qui constitue une révolution.

Comment s'est opérée la régulation des naissances ? Comment a-t-elle évolué dans le temps ? La démographie historique a tenté d'apporter des réponses à ces questions, grâce à la reconstitution des familles que permettent, notamment en France, les sources de l'état religieux (registres paroissiaux) avant d'être civil. La limitation volontaire des naissances apparaît dans les sociétés occidentales aux alentours de la Renaissance. La France l'a fait précocement, dès la fin du XVIIe siècle.

De plusieurs manières : par le mariage tardif qui réduit la période féconde du couple ; par l'abstinence, qui n'empêchait pas le recours à d'autres formes de sexualité ; par le coït interrompu, réprouvé par l'Église (le péché d'Onan), mais largement pratiqué, par les hommes qui « font attention » et se retirent, et même par les femmes, qui se dérobent.

Toutefois, les naissances non désirées étaient très fréquentes, voire les plus fréquentes. Une très forte mortalité infantile limitait la taille de familles néanmoins nombreuses. La mort d'un enfant était considérée comme une fatalité. Le bébé n'est pas encore une personne. Ce qui ne veut pas dire qu'une mère ne souffre pas de sa mort. Et ne le « pleure » pas. Cette souffrance, exprimée plus vivement, accompagne la prise de conscience du *baby*/bébé, qui se précise et se généralise à partir des XVIIIᵉ-XIXᵉ siècles. Elle rendra l'infanticide de plus en plus inacceptable. De même que, de nos jours, la prise de conscience, la vision même, par l'échographie, d'un fœtus, qui n'avait jadis aucune existence, rendent plus douloureuse encore la décision d'avortement[1].

Infanticides et *avortements* étaient assez largement usités, au point de constituer des méthodes de régulation des naissances. L'*infanticide* était une vieille pratique rurale, plus compliquée en ville, où elle se fait également. Au XIXᵉ, elle persiste, mais elle est de plus en plus réprouvée et réprimée. D'après les procès bretons qu'a étudiés Annick Tillier[2], il s'agit presque toujours de servantes de ferme, jeunes, seules, séduites par le patron ou un valet. Acculées au déshonneur, elles cachent leur grossesse, se débarrassent subrepticement du nouveau-né qu'elles enterrent ou noient comme un petit chat. Amples jupes et tabliers permettent une dissimulation surprenante, autant que la brièveté de l'accouchement et de l'acte d'infanticide. Les jeunes femmes disparaissent quelques heures et reprennent le travail, comme si de rien n'était. Dénoncées, elles sont traduites en justice, dans une extrême solitude : les pères se dérobent et on ne les poursuit pas. Le code Napoléon l'interdit. L'infanticide est une affaire de femme ; la fille peut tout juste compter sur sa mère. Au début du siècle, surtout sous la Restauration, plus rigoriste, des femmes infanticides sont fréquemment condamnées à mort, leur peine étant le plus souvent commuée. Mais s'affirme une indulgence croissante. Estimant trop sévères les articles 300 et 302 du Code pénal prévoyant la peine de mort, les juges préfèrent acquitter en

---

1. Luc Boltanski, *La Condition fœtale*, Paris, Gallimard, 2004.
2. Annick Tillier, *Des criminelles au village. Femmes infanticides en Bretagne (XIXᵉ siècle)*, op. cit.

acceptant la thèse de l'enfant mort-né. Ils allèguent aussi la folie passagère de la mère au moment de l'accouchement. Ils suivent Kant selon lequel « l'enfant né hors mariage est né hors la loi et ne doit par conséquent pas bénéficier de la tutelle de la loi ». On perçoit la gêne des magistrats devant l'impunité des séducteurs. On perçoit aussi la réprobation croissante de l'infanticide que suscite la conscience du nouveau-né.

Le *recours à l'avortement* était beaucoup mieux toléré, car le fœtus ne représentait rien. Sages-femmes, rebouteux, médecins « marrons », y prêtaient leur concours, mais dans le secret et dans des conditions sanitaires souvent déplorables, liées à la clandestinité. Il était pratiqué non seulement par des femmes seules, mais aussi par des mères de famille multipares qui voyaient là le seul moyen de limiter la taille d'une famille qu'elles estimaient suffisamment nombreuse. Vers 1900, on avance des chiffres très élevés. Cette banalisation relative est dénoncée par les médecins démographes : le docteur Bertillon lui attribue *la dépopulation de la France* (1912) ; et par les républicains, ainsi Zola dans *Fécondité* (1899). D'où l'intervention croissante de l'État qu'alarme la dénatalité française. Après l'hécatombe de la Grande Guerre, les lois de 1920 et 1923 renforcent une répression qui vise non seulement l'avortement, mais la propagande anticonceptionnelle qui a bien du mal à se faire entendre.

Les néo-malthusiens étaient pourtant fort actifs, en Grande-Bretagne (Annie Besant) et en France. Le mouvement Génération consciente, avec des militants comme Paul Robin, Eugène et Jeanne Humbert, développait une propagande ingénieuse auprès des ouvriers et des femmes, par brochures, tracts et papillons, avec des slogans simples, comme : « Femme, apprends à n'être mère qu'à ton gré. » Le syndicalisme d'action directe était largement acquis à leurs thèses, dont il faisait même un article des statuts syndicaux : un ouvrier conscient et organisé doit se contrôler et avoir peu d'enfants.

Les militants néo-malthusiens furent poursuivis, condamnés, emprisonnés.

Entre les deux guerres, le *Birth Control* de Marie Stopes et Margaret Sanger ouvre des cliniques et des centres de prévention aux États-Unis et en Grande-Bretagne. Les pays protestants étaient beaucoup plus favorables au contrôle des naissances, question de responsabilité. En France, Lucien Dalsace et Bertie Albrecht tentent d'en faire autant. Mais la résistance était très forte, y compris du côté des féministes, très divisées.

Le *Birth Control* est le précurseur du Planning familial, développé en France après la guerre, au milieu des années 1950, par Évelyne Sullerot et la doctoresse Lagroua-Weill-Hallé, créatrices de « Maternité heureuse », d'ailleurs hostiles à l'avortement, sujet qui les opposa ultérieurement au MLAC (Mouvement pour la liberté de l'avortement et de la contraception). Les problèmes de la contraception et de l'avortement sont au cœur des luttes du MLF des années 1970. Tandis que progressait la science (en 1956, le médecin américain Pincus met au point la pilule), un assouplissement s'opérait, grâce à une partie du corps médical, à l'influence de la franc-maçonnerie et aux progrès du libéralisme. La loi Neuwirth, en 1967, légalisa les contraceptifs. La loi Veil (1975), votée avec la gauche contre une partie des députés de droite, légalisa l'interruption volontaire de grossesse. Simone Veil eut beaucoup de courage.

Pourquoi ces *obstacles* à un contrôle des naissances que la réduction de la mortalité infantile et le souci croissant que les parents, et notamment les mères, avaient de l'éducation de leurs enfants, rendaient inévitable ?

Ils venaient de l'Église et de l'État.

L'Église catholique est résolument hostile à tout ce qui n'est pas moyens « naturels » de contraception. Martine Sèvegrand[1] a montré les difficultés des jeunes couples chrétiens de l'entre-deux-guerres confrontés à l'intransigeance de Rome ; l'encyclique *Casti connubii* ne fait aucune concession à leur désir de s'aimer corps à corps. La méthode Ogino, qui repose sur l'observation hasardeuse du cycle de fertilité féminine, provoque bien des « ratés ».

Les États-nations, qu'il s'agisse des États totalitaires ou des démocraties, ont une politique démographique nataliste, favorable aux familles nombreuses et aux femmes au foyer. Leur législation poursuit l'avortement comme un crime d'État, s'oppose à la contraception et développe les premières allocations familiales[2].

Tolérant pour l'avortement, les États et les partis communistes répugnent à la contraception dans une tradition marxiste foncièrement anti-malthusienne, Marx s'étant naguère vivement dressé contre Malthus, son pessimisme et son recours à la restriction des naissances pour résoudre la question sociale. Le développement des forces productives devait seul permettre d'accueillir tous les pauvres au « banquet de la vie ». Rien ne saurait freiner la croissance du prolétariat, acteur des révolutions à venir. Les communistes n'aimaient pas les néo-malthusiens, des petits-bourgeois individualistes. Les femmes du peuple devaient avoir tous les enfants qu'elles pouvaient avoir, et ne pas imiter « les vices des femmes de la bourgeoisie », selon Jeannette Vermeersch. La compagne de Maurice Thorez, secrétaire général du PCF, s'en prit vivement à Jacques Derogy qui, en 1956 (*Des enfants malgré*

1. Martine Sèvegrand, *Les Enfants du Bon Dieu. Les catholiques français et la procréation (1919-1969)*, Paris, Albin Michel, 1995.
2. Janine Mossuz-Lavau, *Les Lois de l'amour : les politiques de la sexualité en France de 1950 à nos jours*, Paris, Payot, 1991.

nous), contestait ce point de vue. Il déplorait l'hypocrisie qui obligeait tant de femmes des classes populaires à recourir à l'avortement dans des conditions dramatiques et préconisait la libre contraception. Il fut exclu du Parti.

Les féministes hésitaient à aborder les questions sexuelles. Seule une minorité soutenait le néo-malthusianisme : Nelly Roussel, Gabrielle Petit, la doctoresse Madeleine Pelletier, qui, dès 1912, publia un livre soutenant le droit à l'avortement. Mais la plupart y étaient franchement hostiles, réservées sur la contraception et très prudes sur la sexualité, sujet tabou pour la pudeur féminine. C'est dire la nouveauté des revendications du MLF.

« Un enfant si je veux, quand je veux, comme je veux » : la conquête de la liberté de contraception et plus encore du droit à l'avortement n'avait rien d'évident. Ils constituent le fondement d'un *habeas corpus* pour les femmes (Yvonne Knibiehler). Une révolution aux conséquences déterminantes sur les rapports de sexes. Peut-être le plus grand événement dans leur histoire contemporaine. Susceptible de « dissoudre la hiérarchie » du masculin et du féminin, qui paraissait pourtant une structure symbolique immobile et universelle.

La *naissance* a beaucoup évolué[1]. D'abord dans les pratiques de l'accouchement, longtemps problématique, dramatique souvent. C'était la principale cause de mortalité des femmes et le facteur premier de leur faible espérance de vie. La mortalité infantile était tout aussi élevée. C'est aujourd'hui un indice de sous-développement.

La césarienne, inventée en Italie à l'époque moderne, met en évidence le conflit qui se jouait autour du dilemme : la mère ou l'enfant ? La plupart du temps, les médecins choisissaient l'enfant.

---

1. Exposition du musée de l'Homme, 2005-2006.

Les progrès du XVIIIe siècle furent décisifs. Grâce aux médecins des Lumières, et aux sages-femmes, comme Louise Bourgeois, qui mit au point des mannequins pour enseigner les meilleures méthodes d'accouchement, bien des vies furent sauvées. Cette médicalisation croissante de l'accouchement revêtait parfois des aspects ambigus ; elle recouvrait des conflits de savoir et de pouvoir qui opposaient médecins et sages-femmes. Celles-ci se sentirent exclues par le développement de savoirs plus formalisés qui aboutirent à de nouvelles branches de la médecine : l'obstétrique et la gynécologie, en attendant la pédiatrie et la puériculture. Les femmes durent s'y faire une place, par l'étude et le diplôme, mais il reste quelque chose de ces rivalités dans les difficultés éprouvées récemment par la gynécologie pour se faire reconnaître comme une véritable discipline médicale.

D'abord acte de femme, pratiqué chez soi, par une matrone ou une sage-femme, entre femmes, en dehors des hommes, quasiment extérieurs à l'événement et à la scène, l'accouchement s'est médicalisé, masculinisé, hospitalisé. L'accouchement à l'hôpital a d'abord concerné les femmes pauvres, ou seules, trop démunies pour faire appel à un accoucheur ou à une sage-femme. Puis l'hôpital est devenu le haut lieu de la médicalisation et de la sécurité, et le rapport s'est totalement inversé. Les femmes aisées ont pris le chemin de la clinique, puis de l'hôpital maternisé dès l'entre-deux-guerres. Après la Seconde Guerre mondiale, la pratique se généralise et la naissance à domicile devient l'exception.

Autre point sensible : la douleur, malédiction biblique – « Tu enfanteras dans la douleur », dit Dieu à Ève, chassée de l'Éden –, fatale, considérée comme inévitable, voire indispensable, notamment de la part de certains médecins catholiques, imprégnés de l'esprit de la Genèse. Aujourd'hui encore, d'aucuns pratiquent l'avortement sans anesthésie comme s'il fallait alors punir les femmes. D'où la lutte quasiment idéologique autour de l'«accouchement sans douleur», dont la clinique des Bleuets fut l'épicentre dans les années 1950-1960. Il s'agissait de rendre les femmes plus responsables de leur accouchement pour triompher de cette douleur, signe archaïque d'acceptation passive du destin, au point de faire naître un sentiment de culpabilité en cas de persistante douleur. L'idée que la souffrance n'est pas l'inéluctable accompagnement de la naissance est cependant positive. Plus sûre et plus joyeuse, la scène de la naissance, qui a réintégré les partenaires masculins, a beaucoup changé.

Parallèlement s'effectuait la prise de conscience du *baby*, en Angleterre et en France, au XVIIIᵉ siècle. Jean-Jacques Rousseau lui délivre ses lettres de noblesse et d'utilité sociale. Surtout, il sacre le lait élixir de longue vie du nouveau-né. *La Nouvelle Héloïse* célèbre l'allaitement maternel et l'honneur des mères qui le pratiquent. Le sein maternel se dévoile, il s'exhibe et devient le symbole même de la République. Dans *Mémoires de deux jeunes mariées* (Balzac), Renée de l'Estoril incarne la jeune mère scrupuleuse et heureuse de s'absorber dans les soins de son nouveau-né face à son amie, mondaine et amoureuse malheureuse.

Pourtant, au XIXᵉ siècle, la mondaine le dispute à la mère. Les maris trouvent excessif l'accaparement par un bébé. D'autant plus que l'acte conjugal est déconseillé aux mères allaitantes. Bourgeoises et commerçantes ont alors recours à des nourrices «sur lieux», sélectionnées par des médecins, qui les palpent dans des bureaux de recrutement des candidates venues de la campagne. Bien nourries, elles sont aussi étroitement surveillées, notamment sous l'angle sexuel.

Plus souvent encore, les enfants étaient placés à la campagne, chez des nourrices dites «à emporter». Le Morvan était la principale région d'élevage. Des milliers de bébés parisiens ont sucé le lait de nourrices morvandelles. Mais le transport était très périlleux et mortifère. Certaines années, la moitié des bébés mouraient en route. Si bien que, de plus en plus critiqué, notamment par les médecins, le système fut réglementé si étroitement par la loi Roussel (1876) qu'il finit par disparaître.

On n'en avait plus besoin : avec la pasteurisation, le biberon cessait d'être un engin de mort. Le musée de Fécamp montre son succès, en même temps que la fin des nourrices.

La IIIe République déclare la guerre à la mortalité infantile, en instituant une surveillance plus étroite de la santé des nourrissons et des mères par un réseau de plus en plus dense de dispensaires et d'associations comme « La Goutte de lait ». La médicalisation de la maternité et de la petite enfance est désormais un enjeu national[1] que supporte jusqu'à l'obsession le corps de la mère.

Le bébé devient une personne, caressé, mignoté, par la mère, et à un moindre degré par le père. La peinture impressionniste montre peu de bébés, mais s'attache aux berceaux (ainsi Berthe Morisot). Auxiliaires des médecins, agents de la puériculture, les mères sont incitées à consigner par écrit la croissance de leur bébé, poids, taille, prise de tétées. Certaines tiennent ainsi de véritables journaux, beaucoup plus psychologiques, telle la mère d'Hannah Arendt, dont Laure Adler a retrouvé les carnets[2]. Elle n'est pas la seule. Parallèlement au contrôle et dans ses plis, se développe une individualisation de la maternité et le désir d'enfant.

---

1. Catherine Rollet, *La Politique à l'égard de la petite enfance sous la IIIe République*, Paris, PUF/INED, cahier n° 127, 1990.
2. Laure Adler, *Dans les pas de Hannah Arendt*, Paris, Gallimard, 2005 ; les carnets de Martha Arendt, *Unser Kind*, sont dans le fonds Arendt, à la Bibliothèque du Congrès à Washington.

C'est aussi qu'au-delà des vicissitudes de l'histoire, l'essentiel demeure : l'engendrement.

Toute naissance est une nativité, disait justement Hannah Arendt.

« Un enfant nous est né, un fils nous a été donné. »

Et pourquoi pas une fille ?

Corps assujettis

Corps désiré, le corps des femmes est aussi, au cours de l'histoire, un corps dominé, assujetti, souvent approprié, dans sa sexualité même. Corps acheté aussi par le biais de la prostitution dont je voudrais vous entretenir surtout.

La gamme des violences exercées sur les femmes est à la fois variée et litanique. Ce qui change, c'est le regard porté sur elles, le seuil de tolérance de la société et celui des femmes, l'histoire de leur plainte. Quand et comment les voit-on, se voient-elles en victimes ?

Le *droit de cuissage* médiéval, par exemple, est une délicate frontière de perception. Le droit que le seigneur aurait eu de jouir de la nuit de noces de ses serves est controversé, moins dans ses traces juridiques que dans son effectivité. Alain Boureau conteste sur ce point la thèse de Marie-Victoire Louis[1]. Selon lui, il s'agit d'un mythe, construit dans un contexte de dévalorisation d'un sombre Moyen Âge.

---

1. Marie-Victoire Louis, *Le Droit de cuissage, France, 1860-1930*, Paris, L'Atelier, 1994 ; Alain Boureau, *Le Droit de cuissage. La fabrication d'un mythe*, Paris, Albin Michel, 1995.

Le viol collectif est, par contre, identifié par les médiévistes (Jacques Rossiaud, Georges Duby) comme une pratique assez usuelle des bandes de jeunes, un rituel de virilité. Les « tournantes » des quartiers populaires d'aujourd'hui, même si elles ont été exagérées par les médias, répondent à un ressort analogue, mais désormais stigmatisé.

Ce que nous appelons « harcèlement sexuel » était encore plus courant, notamment au travail. Il menaçait plusieurs catégories de filles et de femmes : servantes de ferme, aisément engrossées dans la torpeur des granges estivales, petites « bonnes » des sixièmes étages urbains, que décrit Zola dans *Pot-Bouille*, en butte aux assiduités de leurs patrons ; avec parfois la complicité des maîtresses de maison qui préféraient à tout prendre que leur fils jette sa gourme avec une jeune domestique saine, venue de la campagne, plutôt qu'au bordel où il risquait la syphilis.

Les ouvrières étaient exposées aux avances des contremaîtres, plus encore que des directeurs d'usine, plus lointains. À la fin du XIXe siècle, les journaux ouvriers du nord de la France – *Le Forçat, Le Cri du forçat…* – ouvrent des « tribunes des abus » où ils dénoncent la lubricité des « chiens couchants du capital ». En 1905, chez Haviland, la principale porcelainerie de Limoges, un fait de ce genre est à l'origine d'une des grèves les plus dures de l'époque. Georges-Emmanuel Clancier l'a racontée dans *Le Pain noir* (1975), dont on a tiré un feuilleton télévisé. Dans tous ces cas, les jeunes filles sont spécialement visées. Ce qui renforçait l'hostilité des moralistes, mais aussi des ouvriers, au travail des femmes en usine, lieu brutal, contraire à la féminité.

Les femmes battues dans leur ménage étaient légion. Battre sa femme et ses enfants était considéré comme un moyen quasi normal pour le chef de famille d'être maître chez lui. À condition qu'il le fasse avec modération, l'entourage le tolérait, surtout pour les épouses réputées «mauvaises ménagères». Certaines femmes d'ailleurs se défendaient, comme le raconte Marguerite Audoux. Une des ouvrières de *L'Atelier de Marie-Claire* (1920) se vante de ses pugilats avec son mari, qui n'a pas toujours le dessus. Les coups étaient le quotidien de bien des ménages (et pas seulement populaires), amplifiés par le développement de l'alcoolisme dans la seconde moitié du XIXe siècle. Toutefois, la réprobation de ces pratiques est de plus en plus forte. D'abord à l'égard des enfants, éventuellement retirés aux familles en cas de brutalité, la loi rendant possible, en 1889, la «déchéance paternelle». Plus tardivement, voire très récemment, pour les femmes, grâce aux associations et aux «maisons pour femmes battues» ouvertes depuis une trentaine d'années.

Dans ces conditions, la *sexualité vénale* serait presque un progrès si elle se limitait à la rémunération d'un «service sexuel». C'est au nom de cela – la femme libre sur un marché libre – que certaines féministes défendent le droit à la prostitution. Mais greffée la plupart du temps sur la misère, la solitude, la prostitution s'accompagne d'une exploitation, voire d'une surexploitation, du corps, et du sexe, des femmes. Ce qui pose la question de la marchandisation de leur corps.

La prostitution est un système ancien et quasi universel, différemment organisé avec des statuts différents, des hiérarchies internes, et diversement considéré. La réprobation qui s'y attache est fort inégale. Elle dépend de la valeur donnée à la virginité et de l'importance accordée à la sexualité. Les civilisations antiques ou orientales n'ont pas du tout la même attitude que la civilisation chrétienne pour laquelle la chair est le siège du malheur et la fornication, le plus grand péché. Figure complexe, Marie-Madeleine incarne à la fois la séduction, la pécheresse et la douceur du repentir. Elle introduit dans l'univers austère de la sainteté une douceur étrange. Paradoxalement, Zola est beaucoup plus sombre. Fleur exténuée et vénéneuse de la luxure, *Nana* condense la pourriture de la bourgeoisie parisienne. Elle est vouée à la déchéance et au désastre.

Rien à voir avec les femmes galantes du Japon médiéval que décrit Jacqueline Pigeot[1], à partir d'une abondante documentation littéraire et quasi ethnographique. Ces femmes font métier de divertir les hommes, par le chant, la danse, éventuellement le sexe. Mais elles ne sont ni enfermées ni stigmatisées. Elles viennent de milieu modeste, se recrutent souvent de mère en fille. Elles vivent de manière relativement libre et autonome, dans des groupes autogérés et assez hiérarchisés. Certaines sont de véritables artistes qui ont laissé un nom (la danseuse Shizuka Gozen ; Gio, favorite d'un ministre de l'Empire) dans l'art de vivre, voire dans la création musicale et la mise en scène. « Moins de tabou sur le sexe, donc moins de dénigrement de la prostitution », écrit Jacqueline Pigeot, qui note cependant que leur condition se dégrade au XIIIᵉ siècle, notamment sous l'influence du bouddhisme tantrique qui prône la pureté.

En Occident chrétien, la prostitution était plus suspectée. Son essor accompagnait celui des villes et fut considérable au XVIIIᵉ siècle. Londres, Paris étaient des capitales de la prostitution et on donnait des chiffres énormes, fantasmatiques même. On parlait de cinquante mille prostituées à Paris – Parent-Duchatelet ramena ce chiffre à douze mille – à la veille de la Révolution, à laquelle elles participèrent. En 1789, les prostituées défilèrent dans la capitale en demandant la reconnaissance de leurs droits et la liberté de circulation.

1. Jacqueline Pigeot, *Femmes galantes, femmes artistes dans le Japon ancien (XIᵉ-XIIIᵉ siècle)*, Paris, Gallimard, 2003.

L'inverse se produisit : la peur de la syphilis, un « fléau » sanitaire, conduisit au contraire à une complète réorganisation dans le cadre du réglementarisme préconisé par le docteur Parent-Duchatelet, explorateur des bas-fonds. Son livre, *De la prostitution dans la ville de Paris* (1836), est une remarquable enquête médicale et sociale sur le recrutement, les pratiques, la vie quotidienne et la santé des prostituées.

Parent-Duchatelet tente d'enfermer les prostituées dans des « maisons closes », aisément repérables par gros numéro et lanterne rouge, comme on les voit encore aujourd'hui à Stuttgart, bordels patentés, fermés par la loi Marthe Richard de 1946. Les maisons de tolérance sont gérées par des « dames de maison », elles-mêmes anciennes prostituées, en cheville avec les autorités policières et garantes de l'ordre. Il existe deux catégories de filles : « en carte », autorisées et soumises au contrôle médical ; et « clandestines », que la police passe son temps à pourchasser, en se trompant parfois, ce qui entraîne des incidents avec les femmes « honnêtes », victimes de méprise. Arrêtées, elles sont soumises à la visite, éventuellement emprisonnées : à Paris, Saint-Lazare est la prison-hôpital des filles, dont Edmond de Goncourt s'est inspiré pour *La Fille Élisa* (1877).

Monde en expansion, la prostitution diversifie son offre. Les maisons de rendez-vous, plus raffinées, se distinguent des maisons d'abattage sordides, où les filles enchaînent les passes de quelques minutes. La plupart viennent de la campagne et circulent, selon leur âge et leur ancienneté, entre ces lieux, et aussi entre Paris et la province. Elles font carrière, jusqu'à leur retrait et un toujours possible mariage. La réprobation populaire de la prostitution est d'abord modérée. Dans le dernier tiers du XIXe siècle, la « traite des Blanches » élargit le marché ; des zones pauvres d'Europe centrale elle draine les Polonaises et les juives des ghettos jusqu'aux quartiers chauds des cités sud-américaines.

Ce modèle de réglementation a été exporté dans toute l'Europe et également dans les colonies, comme le montre Christelle Taraud pour les pays du Maghreb[1]. La colonisation n'a pas importé la prostitution. Mais elle l'a infléchie considérablement par la réglementation et l'enfermement. Dans les faubourgs de Casablanca, Bousbir, forme extrême, est un quartier totalement fermé et contrôlé, avec une double hiérarchie, européenne et indigène, et coexistence des systèmes, ancien et nouveau. La violence et l'exploitation y règnent, sous le vernis du pittoresque et de l'exotisme cinématographique. Les témoignages de prostituées sont rares et récents. Celui de Germaine Aziz est accablant. Nancy Huston a publié les Mémoires de Marie-Thérèse[2], prostituée, qui parle de sa sujétion et de sa souffrance.

Les féministes se sont mobilisées contre la prostitution, symbole de l'exploitation des femmes. Josephine Butler et les Anglo-Américaines préconisaient l'abolitionnisme radical. Hygiène et responsabilité morale cristallisaient les énergies protestantes. En France, la Suissesse Émilie de Morsier fonda l'association des « Libérées de Saint-Lazare », devenue le haut lieu de la solidarité anti-prostitutionnelle. Les œuvres de protection de la jeune fille tentaient de faire de la prévention dans les lieux de racolage, principalement les gares, où des militantes à brassard accostaient les jeunes migrantes provinciales.

1. Christelle Taraud, *La Prostitution coloniale. Algérie, Tunisie, Maroc, 1830-1962*, Paris, Payot, 2003.

2. Nancy Huston, *Mosaïque de la pornographie : Marie-Thérèse et les autres*, Paris, Denoël, 1982 ; Germaine Aziz, *Les Chambres closes*, Paris, Stock, 1980.

Un siècle plus tard, dans les années 1975, les féministes apportèrent leur soutien aux mouvements de prostituées, notamment à Lyon, autour de l'église Saint-Nizier. Mais cette fois, comme en 1789, les prostituées prennent leur sort en main. Elles demandent la reconnaissance de leur profession, et par conséquent les garanties de la sécurité sociale. Ce qui heurte les abolitionnistes comme l'acceptation de l'inacceptable.

Aujourd'hui, les féministes sont toujours divisées entre celles qui voient dans la prostitution la suprême aliénation du corps des femmes, et refusent de la considérer comme un métier, et celles qui défendent le droit des femmes à disposer de leur corps et donc de le vendre. Ce débat récurrent a été particulièrement vif en 2002. La vision de la marchandisation du sexe donne à l'œuvre de Michel Houellebecq quelques-uns de ses accents les plus puissants.

En fond de tableau, une mondialisation aux réseaux structurés, qui puisent dans toutes les poches de pauvreté : Europe de l'Est, Afrique subsaharienne, « paradis thaïlandais », etc., et utilisent les infinies ressources de l'Internet pour une circulation accrue dans un marché en expansion et source de profits considérables. Un marché dont le corps des femmes est l'objet et l'enjeu.

III

L'âme

Après le corps, l'âme : la religion, la culture, l'éducation, l'accès au savoir, la création. Saintes et sorcières, lectrices et écrivaines, artistes et actrices seront dans ce chapitre nos compagnes.

Mais d'abord, les femmes ont-elles une âme ? On attribue cette question au concile de Mâcon, en 585. Il semble bien que ce soit largement un mythe, forgé à partir des XVIe-XVIIe siècles, notamment par Pierre Bayle, et constamment repris par la suite comme une preuve de la barbarie de l'Église en ces siècles de fer. Or, la nouveauté du christianisme, c'était justement l'affirmation de l'égalité spirituelle des hommes et des femmes pareillement égaux et nus au jour du Jugement[1].

Femmes et religions

Entre la/les religions et les femmes, les relations ont été, toujours et partout, ambivalentes et paradoxales. Parce que les religions sont en même temps pouvoir sur les femmes et pouvoir des femmes.

1. Émeline Aubert, « La femme a-t-elle une âme ? Histoire d'un mythe, du concile de Mâcon à nos jours », in *La Religion et les Femmes*, actes de colloque réunis par Gérard Cholvy, Montpellier, 2002, p. 18-34.

Pouvoir sur les femmes : les grandes religions monothéistes ont fait de la différence des sexes et de leur inégalité en valeur un de leurs fondements. La hiérarchie du masculin et du féminin leur semble de l'ordre d'une Nature créée par Dieu. C'est vrai pour les grands livres fondateurs – la Bible, le Coran – et, plus encore, pour les interprétations qui en sont données, sujettes à controverses et à révisions. Ainsi pour le récit de la création d'Adam et Ève dans la Genèse, dont débattent aujourd'hui les théologiennes féministes. Selon la version originelle[1], l'homme et la femme auraient été créés ensemble. Selon une version ultérieure[2], ils auraient été créés l'un après l'autre, la femme étant seconde et dérivée, «venue d'un os surnuméraire», comme le rappelle Bossuet pour les inciter à l'humilité. Car l'Église catholique a adopté cette seconde version.

La religion, pouvoir sur les femmes ? C'est déjà le fait des fondateurs, mais plus encore des organisateurs de ces religions, qui, toutes, établissent la domination des clercs et subordonnent les femmes, souvent exclues de l'exercice du culte (église ou synagogue), voire de son espace : ainsi des mosquées de l'islam. Alors que le prophète Mahomet était entouré de femmes, comme le raconte Assia Djebar (*Loin de Médine*).

Le catholicisme est d'emblée résolument clérical et mâle, à l'image de la société de son temps. Seuls les hommes peuvent accéder à la prêtrise et au latin. Ils détiennent pouvoir, savoir et sacré. Ils laissent pourtant aux femmes pécheresses des échappatoires : la prière, le couvent des vierges consacrées, la sainteté. Et le prestige grandissant de la Vierge Marie, cet antidote d'Ève. La reine de la chrétienté médiévale.

1. Genèse 1, 27.
2. Genèse 2, 21-22.

De tout cela, les femmes ont fait la base d'un contre-pouvoir et d'une sociabilité. La piété, la dévotion leur étaient devoir, mais aussi compensation et plaisir. Elles pouvaient se retrouver dans les églises paroissiales, dans la douceur des reposoirs et du chant choral, goûter «les parfums de l'autel, la fraîcheur des bénitiers, le rayonnement des cierges» (Flaubert: *Madame Bovary*, à propos de l'éducation d'Emma dans une pension religieuse). Trouver du secours, voire de l'écoute, auprès des prêtres, leurs confesseurs et leurs confidents. L'Église offrait un abri aux misères des femmes, tout en leur prêchant la soumission.

Les couvents étaient des lieux de relégation et de clôture, mais aussi des refuges contre le pouvoir masculin et celui des familles. Des lieux d'appropriation du savoir, et même de création. Les voix de femmes ont été d'abord des voix mystiques. Jacques Maître a montré l'écrasante supériorité des femmes dans cette filière depuis le XIIIe siècle. De Marguerite Porete à Thérèse d'Avila ou Thérèse de Lisieux, la vie mystique se conjugue au féminin. Prière, contemplation, étude, jeûne, extase, amour fou tissent le bonheur ineffable et douloureux, torturant et tendre, de ces femmes qui explorent les limites de la conscience, et dont souvent l'Église se défie comme de créatures déraisonnables, aux frontières de la folie. Car l'Église n'aime pas beaucoup plus ses mystiques que ses saintes, selon Guy Bechtel.

Les saintes sont bien moins nombreuses que les saints, dit-il, surtout à partir de la Contre-Réforme, parce que les conditions étaient pour les femmes bien plus difficiles à remplir: il leur fallait conjuguer à la fois virginité et rôle public. Quelques femmes d'exception ont eu un grand rayonnement: comme Catherine de Sienne (1347-1380). Cette fille de teinturiers de l'Ombrie, qui avaient fait vingt-cinq enfants, était vierge, mystique, mais laïque. Membre d'un tiers ordre dominicain, elle joua un rôle public, voire politique. Elle œuvra pour le retour du pape du Comtat Venaissin (Avignon) en Italie. Elle voulait réformer l'Église, promouvoir la paix dans la Péninsule et fortifier l'Europe, au besoin par la croisade. Son influence fut considérable. C'est pourquoi Jean-Paul II l'a érigée en seconde patronne de l'Europe.

D'autres femmes s'illustrent comme fondatrices d'ordres, missionnaires, éducatrices. Natalie Z.-Davis, dans *Trois femmes en marge*[1], raconte l'histoire d'une juive, d'une protestante et d'une catholique qui agissent à partir de leurs religions respectives. La juive s'occupe surtout de sa famille. La protestante de science, et la catholique de religion. Marie de l'Incarnation (1599-1672), ursuline à Tours, fonde un ordre missionnaire au Canada et évangélise les Hurons. Au XIXᵉ siècle, le développement des congrégations enseignantes, celui des pensions et des ouvroirs, l'essor des missions ouvrent aux religieuses des horizons considérables.

Dans le monde, les femmes chrétiennes agissaient par les salons. Au faubourg Saint-Germain, celui de Mme Swetchine, amie de Tocqueville et de Montalembert, était le centre du libéralisme. Par la charité et les œuvres, les dames « patronnesses » exerçaient un véritable rôle social, qu'on appelait « philanthropie » chez les protestants. Elles intervenaient aussi par l'écriture, surtout par des romans qui alimentaient les magazines éducatifs et chrétiens, comme *La Veillée des chaumières*. Mathilde Bourdon, romancière du Nord, auteure d'une centaine de romans « à l'eau de rose », Zénaïde Fleuriot, romancière pour la jeunesse,

---

1. Natalie Z.-Davis, *Juive, catholique, protestante. Trois femmes en marge au XVIIᵉ siècle*, Paris, Seuil, coll. « La Librairie du XXᵉ et du XXIᵉ siècle », 1997 (traduit de l'américain).

Berthe Bernage, avec la série romanesque des *Brigitte*, furent particulièrement productives.

Au moment où le syndicalisme s'inspirait de valeurs viriles et affichait un certain antiféminisme, des femmes créèrent associations et syndicats chrétiens. Elles développèrent un syndicalisme non mixte, plus susceptible d'attirer les femmes des professions tertiaires, mais aussi industrielles, surtout dans la région lyonnaise. Il se révéla au XXᵉ siècle, dans un syndicalisme déconfessionnalisé, producteur de responsables féminines, comme Jeannette Laot et Nicole Notat. Ainsi, une culture catholique a pu favoriser l'expression des femmes, avec ou malgré l'Église, dans ses allées et dans ses marges.

Dans la famille, les femmes transmettaient la foi, « religion de ma mère », selon Jean Delumeau[1]. Au village, elles entretenaient les églises et défendaient la sonnerie des cloches. Si bien qu'elles devinrent dans la société, du moins en France, un véritable enjeu de pouvoir entre les républicains et l'Église, et en partie à l'origine des combats pour la laïcité. Michelet dénonçait l'intrusion du prêtre dans le couple par la confession. Zola montrait l'emprise des superstitions sur les femmes par les pèlerinages, comme Lourdes, et par l'antisémitisme : c'est la trame de *Vérité*[2]. La bataille se concentra sur l'école et aboutit à la loi de séparation des Églises et de l'État en 1905. Dans la bataille des inventaires, les femmes croyantes furent au premier rang, surtout en Bretagne.

1. Jean Delumeau, *La Religion de ma mère. Le rôle des femmes dans la transmission de la foi*, Paris, Cerf, 1992.
2. Ce roman, le dernier des *Quatre Évangiles*, et le dernier de Zola, montre les déchirements d'un couple, Marc Froment, l'instituteur laïque, et sa femme Geneviève, gagnée par la dévotion et l'antisémitisme, au temps de l'affaire Dreyfus.

Dans les pays protestants, les rapports de sexes étaient différents. Ce qui conduit à poser la question de la Réforme du XVIe siècle. La Réforme avait-elle existé pour les femmes ?

Oui, surtout pour l'instruction. Le libre accès à la Bible supposait que les filles aussi sachent lire. L'Europe protestante les alphabétisa par un réseau d'écoles, et le contraste entre pays septentrionaux et méditerranéens se creusa pour longtemps sous cet angle.

Non, dans l'ordre domestique. Luther et Calvin avaient une conception très patriarcale de la famille et, d'une certaine manière, renforcèrent les pouvoirs du mari-père sur les femmes par le pastorat. La femme de pasteur, modèle des femmes réformées, est le type même de l'épouse auxiliaire de son mari dans l'exercice de son ministère. Les femmes protestantes étaient cependant plus émancipées que les catholiques, plus présentes dans l'espace public. À la faveur des « réveils » (*Revivals*), elles étaient de plus en plus nombreuses à prendre la parole, notamment en Grande-Bretagne et en Nouvelle-Angleterre. Dans les pays protestants, elles développèrent, autour de collèges ou d'universités féminines, une sociabilité originale, fondement d'une expression littéraire vigoureuse et d'un féminisme précoce.

En France, les protestantes étaient évidemment favorables à la laïcité et très actives dans le féminisme en 1848 (Eugénie Niboyet) et sous la IIIe République. Des femmes comme Isabelle Bogelot, Sarah Monod, Julia Siegfried, Ghénia Avril de Sainte-Croix… animent des associations (le Conseil national des femmes françaises, fondé en 1901, dans la mouvance du mouvement américain), luttent pour le droit de vote et appuient la modernité. Juives et protestantes peuplent les premiers lycées de filles que boudaient les familles catholiques. Elles vont à l'université, passent des concours et sont nombreuses à soutenir des associations comme l'AFDU (Association des femmes diplômées des universités). Elles revendiquent l'égalité professionnelle, et même la contraception. Elles soutiennent les initiatives du Birth Control, puis, après la guerre, du Planning familial (Évelyne Sullerot). Lorsque Simone de Beauvoir publia en 1949 *Le Deuxième Sexe*, les lectures les plus attentives vinrent du mouvement Jeunes femmes.

En Europe, les femmes juives, obligées à l'exil par les pogromes, ont joué un rôle de premier plan dans l'accès à la médecine et aux carrières universitaires, dans les contacts culturels et dans l'engagement politique. Leur confession religieuse agissait en l'occurrence comme support intellectuel et culturel[1].

Dans le cas des minorités religieuses, sans doute s'agit-il moins de dogme que d'identité et de communauté. On pourrait en dire autant de l'islam aujourd'hui, même s'il paraît encore plus patriarcal. Ce qui se joue sous le voile dépend aussi des femmes elles-mêmes et de ce mélange subtil de consentement et de subversion qui caractérise si souvent leur rapport aux religions qui les enserrent.

Hérétiques et sorcières

« Femmes, vous êtes toutes des *hérétiques* », disait George Sand aux « fidèles lectrices » de *Consuelo* et de *La Comtesse de Rudolstadt*, un grand roman sur les sectes et les sociétés secrètes dans l'Alle-

---

1. Nancy Green, « La femme juive », in *Histoire des femmes en Occident*, *op. cit.*, t. 4, p. 215-229 ; Nelly Las, *Femmes juives dans le siècle. Histoire du Conseil international des femmes juives de 1899 à nos jours*, Paris, L'Harmattan, 1996.

magne moderne. C'est assurément une boutade, mais qui traduit du vrai. Les femmes, ordinairement consentantes à leur rôle, furent parfois tentées par la subversion d'un pouvoir religieux qui les domine et les nie. Le pouvoir des clercs et des princes est un pouvoir d'hommes, misogynes parce qu'ils sont convaincus de l'impureté et de l'infériorité de la femme, voire de sa «mauvaiseté». D'où l'attrait de ces femmes pour ce que Michel Foucault appelle les «contre-conduites» et dont je voudrais vous entretenir à présent.

Les femmes furent nombreuses dans les sectes qui exprimèrent l'inquiétude religieuse de la fin du Moyen Âge, au vrai dès le XIIᵉ siècle. La plupart des sectes remettaient en cause le pouvoir des clercs : les hussites préconisaient la communion sous les deux espèces et le calice pour tous ; et la hiérarchie des sexes. Ils préconisaient une plus grande égalité cultuelle et sexuelle : ainsi chez les lollards, les bégards ou les hussites de Bohême.

Un des mouvements les plus intéressants est celui des *béguines*. C'étaient des communautés de femmes vivant ensemble, dans un même enclos, d'aumônes mais surtout de leur salaire gagné dans les soins médicaux ou le travail textile. Elles furent particulièrement nombreuses en Allemagne et en Flandre, où il y avait un surplus de femmes seules, ce qui posait une «question des femmes» : *Frauenfrage*. On peut aujourd'hui encore admirer les béguinages de Bruges ou d'Amsterdam, si pleins de charme. Hors des ordres religieux, ces femmes étaient incontrôlées et considérées comme dangereuses. L'Inquisition s'en prit à elles : ainsi Marguerite Porete, mystique cultivée et auteure du *Miroir des âmes simples et anéanties*, traité du libre-esprit, où elle osait exprimer des vues théologiques, dire que l'amour de Dieu ne passait pas nécessairement par les prêtres. Elle comparut devant le tribunal de l'Inquisition à Paris et fut brûlée en 1310. Tout au long du Moyen

Âge tardif, des femmes ne cessèrent de prendre la parole jusque dans des situations politiques explosives[1].

Premiers feux d'un incendie qui allait embraser *l'Europe des sorcières*, surtout après la publication du *Malleus maleficarum* («Le Marteau des sorcières») des dominicains Kraemer et Sprenger en 1486, qui eut un énorme succès, près d'une vingtaine d'éditions en trente ans. Cette enquête, commanditée par l'Inquisition, entendait à la fois décrire les sorcières et leurs pratiques et dire ce qu'il convenait d'en penser. Beaucoup de mal, assurément, ce qui justifiait leur condamnation au feu purificateur. Elles furent massivement arrêtées et brûlées, notamment en Allemagne, en Suisse et dans l'est de la France actuelle (Lorraine, Franche-Comté), mais aussi en Italie et en Espagne. On estime à cent mille le nombre des victimes, des femmes à 90 %. La vague de répression, amorcée à la fin du XVe, et à certains égards Jeanne d'Arc en fut victime, culmina aux XVIe et XVIIe siècles. Fait troublant, elle coïncide avec la Renaissance, l'humanisme, la Réforme. Les protestants s'accordaient avec les catholiques sur la nocivité des sorcières. Ce qui explique la place de l'Allemagne dans la géographie des bûchers et celle de la peinture allemande – Lucas Cranach, Hans Baldung Grien – dans la représentation des sorcières. À l'exception de Cornelius Agrippa, persécuté pour complicité avec les filles du diable, les humanistes aussi étaient d'accord : Ficin, Pic de La Mirandole, Jean Bodin, si moderne par ailleurs, font chorus. Jean Bodin publie *De la démonomanie*, classique du genre. Esther Cohen, dans *Le Corps du diable*[2], souligne ce curieux duo : le philosophe et la sorcière forment couple. Au nom de la

---

1. Claudia Opitz, «Un mouvement de femmes au Moyen Âge?», in *Histoire des femmes en Occident, op. cit.*, t. 2, p. 328-335.
2. Esther Cohen, *Le Corps du diable. Philosophes et sorcières à la Renaissance*, Paris, Léo Scheer, 2004 (traduit de l'espagnol).

science, la rationalité occidentale éradique les figures de l'altérité : le juif, l'étranger, la sorcière. Cette histoire confirme la réflexion ultérieure d'Adorno et de Walter Benjamin selon lesquels il existe un lien entre le processus de civilisation et la barbarie, le progrès et la violence. Les sorcières apparaissent comme des boucs émissaires de la modernité.

Que leur reproche-t-on au juste ? Beaucoup de choses, mêlées.

D'abord elles offensent la raison, et la médecine moderne, par leurs pratiques magiques. Elles prétendent guérir les corps non seulement par les simples, mais par des élixirs de leur composition et des formules ésotériques.

Elles manifestent une sexualité débridée : elles ont le « vagin insatiable », selon *Le Marteau des sorcières*. Elles pratiquent une sexualité subversive. Subversité des âges : beaucoup de vieilles sorcières font l'amour à un âge où on ne le fait plus, après la ménopause. Et des gestes : elles attrapent les hommes par-derrière, ou les chevauchent, inversant la position que l'Église considère comme la seule possible : femme sur le dos, homme sur elle. Elles se situent du côté de Lilith, la première femme d'Adam : elle l'a quitté parce qu'il refusait d'être monté par elle. Dans la condamnation des sorcières, la dimension érotique est essentielle. Les sorcières incarnent le désordre des sens, la « part maudite » (Georges Bataille) dans une société qui ordonne les corps.

Enfin, elles ont contact avec le diable. Ce diable dont le concile du Latran a établi l'existence et développé la théologie. La sorcière est fille et sœur du diable. Elle est le diable, son regard tue : elle a « le mauvais œil ». Elle prétend au savoir. Elle nargue tous les pouvoirs : celui des prêtres, des souverains, des hommes, de la raison.

Une seule solution : extirper le mal, les détruire, les brûler.

Ainsi s'amorça ce gigantesque incendie à l'aube de la modernité.

Plus tard, on réhabilita les sorcières. Michelet leur a consacré un livre étincelant, *La Sorcière* (1862), véritable hymne à la femme, bienfaisante et victime. Sa sorcière n'est ni laide ni vieille, ni même malfaisante. Elle est simplement l'une des incarnations de la Femme, cette «mère tendre gardienne et nourrice fidèle» dont il fait le personnage central de son œuvre, victime, mais non pas criminelle. Mais Michelet reste dans la logique qu'il dénonce: celle d'un lien privilégié entre la femme et les puissances occultes[1], qu'on retrouverait d'une autre manière dans le somnambulisme et la voyance, pratiques largement féminines[2].

Depuis une trentaine d'années, on a beaucoup écrit sur les sorcières, dont les féministes se revendiquaient parfois, avec humour: ainsi Xavière Gauthier fonde la revue *Sorcières*, regard très libre sur l'histoire et l'actualité. Robert Mandrou a interrogé les relations entre *magistrats et sorciers*[3]. Carlo Ginzburg[4] a étudié les *benandanti*, ces hommes qui, dans le Frioul du XIVe siècle, partaient combattre les sorciers pour préserver leurs récoltes, et il a plongé dans la nuit du *Sabbat des sorcières*. Jeanne Favret-Saada a scruté en ethnologue les pratiques de sorcellerie du bocage dans *Les Mots, la Mort, les Sorts*, devenu un classique. Jean-Michel Sallmann a publié, en 1989, *Les Sorcières, fiancées de Satan* et donné au troisième tome de l'*Histoire des femmes en*

---

1. Jean-Michel Sallmann, «Sorcière», in *Histoire des femmes en Occident, op. cit.*, t. 3, p. 455-462.
2. Nicole Edelman, *Voyantes, guérisseuses et visionnaires en France*, Paris, Albin Michel, 1995; *Histoire de la voyance et du paranormal. Du XVIIIe siècle à nos jours*, Paris, Seuil, 2006.
3. Robert Mandrou, *Magistrats et sorciers en France au XVIIe siècle, Une analyse de psychologie historique*, Paris, Seuil, coll. «L'univers historique», 1989.
4. Carlo Ginzburg, *Les Batailles nocturnes*, Lagrasse, Verdier, 1980; *Le Sabbat des sorcières*, Paris, Gallimard, 1992 (traduits de l'italien).

Occident une synthèse éclairante. On vient de traduire *Le Corps du diable* d'Esther Cohen, etc. Comme si les historiens sentaient qu'il y a là un chapitre essentiel de l'histoire culturelle et sexuelle de l'Occident.

Après tout, « *ma femme est une sorcière*».

L'accès au savoir

L'interdit de savoir

Depuis la nuit des temps pèse sur les femmes un interdit de savoir dont Michèle Le Doeuff a montré les fondements[1]. Le savoir est contraire à la féminité. Sacré, le savoir est l'apanage de Dieu, et de l'Homme, son délégué sur terre. C'est pourquoi Ève a commis le suprême péché. Elle, femme, elle voulait savoir ; elle succomba à la tentation du diable et elle en fut punie. Les religions du Livre (judaïsme, christianisme, islam) confient l'Écriture et son interprétation aux hommes. La Bible, la Torah, les versets islamiques du Coran sont leur affaire. Aux Écritures, ils s'initient dans des écoles et des séminaires spéciaux, hauts lieux de transmission, de gestuelle et de sociabilité masculines. L'Église catholique réserve la théologie aux clercs qui ont le monopole du latin, langue du savoir et de la communication, langue du secret aussi : choses savantes et sexuelles se disent en latin pour échapper aux faibles et aux ignorants[2]. Souvenez-vous de la mère de François Villon : «Femme je suis, et rien ne sait lettres ni leus. » Elle s'ins-

---

1. Michèle Le Doeuff, *Le Sexe du savoir*, Paris, Aubier, 1998.
2. Françoise Wacquet, *Le Latin ou l'Empire d'un signe, XVIᵉ-XXᵉ siècle*, Paris, Albin Michel, coll. «L'évolution de l'humanité», 1998.

truit en regardant les vitraux et les fresques du « moustier » (église) dont elle est paroissienne. À défaut de lettres, les humbles et les femmes de la chrétienté avaient l'image, dont l'islam les privait.

De ce point de vue, la Réforme protestante est une rupture. En faisant de la lecture de la Bible un acte et une obligation de chaque individu, homme ou femme, elle contribua à développer l'instruction des filles. L'Europe protestante du Nord et de l'Est se couvrit d'écoles pour les deux sexes. Et on constate, en France, une dissymétrie sexuelle de l'alphabétisation de part et d'autre de la ligne Bordeaux/Genève. L'instruction protestante des filles allait avoir des conséquences de longue durée sur la condition des femmes, leur accès au travail et à la profession, les rapports de sexes et jusque sur les formes du féminisme contemporain. Le féminisme anglo-saxon est un féminisme du savoir, très différent du féminisme de la maternité de l'Europe du Sud. Le contraste marque les soins infirmiers : Florence Nightingale préconisait un métier qualifié, paramédical, avec des salaires décents, pour les filles des classes moyennes qu'elle formait au moment de la guerre de Crimée. Le *nursing* se différencie de l'emploi des filles de salle, recrutées parmi les Bretonnes de la domesticité, aides-soignantes plus qu'infirmières autonomes, par la République laïque du docteur Bourneville.

Bien entendu, les choses changent avec le temps. D'un côté, parce que les femmes agissent : au XVIIe siècle, la marquise de Rambouillet fit de son fameux « salon bleu » un lieu de raffinement des mœurs et du langage, point d'appui des Précieuses qui revendiquent l'écriture et le beau parler dont se moque *Le Bourgeois gentilhomme* de Molière[1]. De l'autre, parce que l'Église de

1. Claude Dulong, « De la conversation à la création », in *Histoire des femmes en Occident, op. cit.*, t. 3, p. 403-427.

la Contre-Réforme, consciente de l'influence des femmes, investit dans leur éducation, multiplie les petites écoles et les ouvroirs. Mais que de réserves. Fénelon, dans son traité *De l'éducation des filles* (1687), écrit pour Mme de Maintenon, déplore l'ignorance des filles, préconise leur formation, mais les invite à se méfier du savoir pour lequel elles devraient ressentir une « pudeur presque aussi délicate que celle qui inspire l'horreur du vice[1] ».

Les philosophes des Lumières ne pensent pas très différemment. Il faut dispenser aux filles des « lumières tamisées », filtrées par la notion de leurs devoirs. Ainsi dit Rousseau : « Toute l'éducation des femmes doit être relative aux hommes. Leur plaire, leur être utiles, se faire aimer et honorer d'eux, les élever jeunes, les soigner grands, les conseiller, les consoler, leur rendre la vie agréable et douce : voilà les devoirs des femmes dans tous les temps, et ce qu'on doit leur apprendre dès leur enfance », écrit-il à propos de Sophie, la compagne qu'il destine à Émile et à laquelle il consacre le cinquième livre de son ouvrage. Les révolutionnaires le suivent sur ce point comme sur bien d'autres. Condorcet et le député Le Peletier de Saint-Fargeau exceptés, ils ne prévoient aucune disposition pour les filles qui seront enseignées par leur mère, au sein de la famille.

En 1801, Sylvain Maréchal, un homme d'« extrême gauche », publie un *Projet d'une loi portant défense d'apprendre à lire aux femmes*, qui est peut-être un canular, mais dont les 113 considérants et les 80 articles ramassent, tel un sottisier, toutes les objections opposées à l'instruction des filles. On y lit : « Considérant que l'intention de la bonne et sage nature a été que les femmes exclusivement occupées des soins domestiques, s'honoreraient

---

1. Françoise Collin, Évelyne Pisier et Eleni Varikas, *Les Femmes de Platon à Derrida, op. cit.*, p. 267.

de tenir dans leurs mains, non pas un livre ou une plume, mais bien une quenouille ou un fuseau. [...] Que les femmes qui se targuent de savoir lire et de bien écrire, ne sont pas celles qui savent aimer le mieux. [...] Qu'il y a scandale et discorde dans un ménage, quand une femme en sait autant ou plus que son mari», etc. Suivent les articles de la loi : «La Raison veut que les femmes ne mettent jamais le nez dans un livre, jamais la main à la plume. [...] À l'homme, l'épée et la plume. À la femme, l'aiguille et le fuseau. À l'homme, la massue d'Hercule. À la femme, la quenouille d'Omphale. À l'homme, les productions du génie. À la femme, les sentiments du cœur. [...] La Raison veut que désormais il soit permis aux courtisanes, seulement, d'être femmes de lettres, beaux-esprits et virtuoses. [...] Une femme poète est une petite monstruosité morale et littéraire, de même qu'une femme souverain est une monstruosité politique», et j'en passe. Tout au cours du siècle, on réitère cette affirmation que l'instruction est à la fois contraire au rôle des femmes et à leur nature : féminité et savoir s'excluent. La lecture ouvre les portes dangereuses de l'imaginaire. Une femme savante n'est pas une femme. Le conservateur Joseph de Maistre et l'anarchiste Proudhon sont d'accord sur ce point. «Le grand défaut d'une femme, écrit le premier, c'est d'être un homme. Et c'est vouloir être un homme que vouloir être savant.» Et le républicain Zola n'est pas loin de penser de même. Ils devraient pourtant faire attention : Mgr Dupanloup, vigie d'une Église qui mise sur les filles, publie en 1868 *Femmes savantes et femmes studieuses*. Il conteste le point de vue de Joseph de Maistre, tout en s'opposant toujours fermement à l'enseignement secondaire pour les filles : «Cette jeune fille, votre fille, parvenue à dix-huit ans, dans tout l'état de sa grâce qu'elle ignore, vous voulez qu'elle aille subir un examen public, qu'elle reçoive un diplôme et des prix aux comices agricoles, et s'incline devant M. le sous-préfet, qui déposera sur son front une couronne de papier peint!» Au vrai, l'évêque d'Orléans redoute surtout la séduction de la libre-pensée.

Il faut donc éduquer les filles, plutôt que les instruire[1]. Ou les instruire juste ce qu'il faut pour les rendre agréables et utiles : un savoir social, en somme. Les former à leurs rôles futurs de femme, de ménagère ou de maîtresse de maison, d'épouse et de mère. Leur inculquer de bonnes habitudes d'économie et d'hygiène, les valeurs morales de pudeur, obéissance, gentillesse, renoncement, sacrifice… qui tressent la couronne des vertus féminines. Ce contenu, commun à toutes, varie selon les époques et les milieux, comme les méthodes employées pour le leur enseigner.

Dans les familles aristocratiques ou aisées, précepteurs et gouvernantes dispensent leurs leçons à domicile et tout dépend de leur qualité, souvent très grande. Les filles apprennent l'équitation et les langues étrangères, le français et l'anglais surtout. Les conditions politiques du XIXᵉ siècle ont propulsé les exilés dans toute l'Europe : quinze mille Allemands à Londres en 1850, par exemple. Malwida von Meysenbug, venue de Hambourg, s'occupe des filles du révolutionnaire russe Alexandre Herzen, veuf et riche, et fort soucieux de leur éducation. Dans les familles bourgeoises, les filles suivent des cours et vont parfaire leur éducation en pension entre quinze et dix-huit ans. Elles y apprennent les arts d'agrément : le dessin, le piano, «haschich des femmes», qui leur permettra de charmer les soirées familiales et mondaines. On voit au XIXᵉ siècle se multiplier les pensions religieuses, qui font la prospérité des congrégations féminines, mais aussi une myriade

---

1. Guyonne Leduc (dir.), *L'Éducation des femmes en Europe et en Amérique du Nord. De la Renaissance à 1848*, Paris, L'Harmattan, 1997 ; Michèle Hecquet (dir.), *L'Éducation des filles au temps de George Sand*, Arras, Presses universitaires d'Artois, 1998.

de petites pensions laïques, qui fournissent des revenus à des femmes instruites et désargentées. Les filles du peuple aident leurs mères et fréquentent des ouvroirs de «bonnes sœurs», où elles apprennent à lire, compter, prier et coudre. Car la couture demeure l'obsession de ce grand siècle du linge.

Famille et religion sont les piliers de cette éducation presque exclusivement privée. L'État, en France, instruit les garçons, ses cadres et ses travailleurs. Pas les filles, qu'il laisse à leurs mères et à l'Église. Lorsque, en 1833, Guizot, ministre de l'Instruction publique, fait voter une loi obligeant toute commune de plus de cinq mille habitants à ouvrir une école primaire, il s'agit uniquement d'écoles de garçons. Il était protestant et sa première épouse militait pour l'instruction des filles. Sa propre fille, Henriette, était fort cultivée; elle avait suivi des cours particuliers de grec et de latin; elle fut plus tard sa correspondante favorite et sa principale collaboratrice[1].

Les changements contemporains

Pourtant, les choses ont changé, partout en Europe, à peu près au même moment. La scolarisation des filles s'est opérée dans le primaire dans les années 1880; dans le secondaire autour de 1900; leur entrée à l'université s'est faite entre les deux guerres et massivement après 1950. Elles y sont aujourd'hui plus nombreuses que les garçons.

Effet de la modernité, sans doute: les hommes ont le désir d'avoir des «compagnes intelligentes». Les États souhaitent des

1. François Guizot, *Lettres à sa fille Henriette, 1836-1874*, Paris, Perrin, 2002. On donne malheureusement peu de lettres d'Henriette dans cette publication; c'est le grand homme qui monopolise l'attention et il faut la deviner en creux.

mères instruites pour la prime éducation des enfants. Le marché du travail a besoin de femmes qualifiées, notamment dans le secteur tertiaire des services : Postes, dactylos, secrétaires.

En France, ont joué des facteurs politiques : la IIIe République triomphante voulait soustraire les filles à l'Église de Mgr Dupanloup. D'où les lois Ferry (1881) créant l'école primaire gratuite, obligatoire et laïque. Pour les deux sexes, avec les mêmes programmes, mais dans des lieux séparés pour des raisons de réputation morale. Longtemps problématique, la mixité sera réalisée, sans coup férir et sans réflexion particulière, dans les années 1960-1970 : signe et facteur d'une égalité des sexes encore en devenir.

Et les femmes ? Quel a été leur rôle ?

Nombre d'entre elles ont désiré le savoir comme un amant. La figure d'Ève est, d'une certaine manière, emblématique : elle croque la pomme par curiosité avide. L'Église médiévale lui a substitué l'image sage et méditative de la Vierge au livre. On observe un immense effort d'autodidaxie féminine, réalisé par toutes sortes de canaux, dans les couvents, les châteaux, les bibliothèques. Savoir grappillé, dérobé parfois, dans les manuscrits recopiés, dans les marges des journaux, les romans empruntés aux cabinets de lecture, et lus avidement à l'ombre de la lampe et dans le calme de la chambre. Cette «école de la chambre», dont parle Gabrielle Suchon, cette «chambre à soi», dont Virginia Woolf fait une des conditions de l'écriture. Et ceci dans toutes les classes sociales. Marguerite Audoux, bergère en Sologne au début du XXe siècle, raconte comment elle découvrit, dans le grenier de la ferme où elle travaillait, un *Télémaque* (Fénelon) qui devint son compagnon (*Marie-Claire*).

Les femmes de l'élite revendiquèrent très tôt le droit à l'instruction. De Christine de Pisan à Mary Wollstonecraft, Germaine de Staël ou George Sand, on entend leur voix, qui s'amplifie aux XVIIIe et XIXe siècles. Elles devaient franchir les obstacles un à un. En 1861, Julie Daubié conquiert la première son baccalauréat de haute lutte. Il fallut, pour vaincre les réticences du recteur de Lyon, le soutien du saint-simonien Arlès-Dufour et l'intervention de l'impératrice Eugénie auprès du ministre Victor Duruy, assez convaincu personnellement. Chaque degré franchi dans un nouveau niveau de savoir, toute entrée dans un nouveau type d'études furent l'occasion de batailles où agirent les pionnières, telle Jeanne Chauvin, première avocate en 1900. Et souvent l'intervention du pouvoir et de la loi fut nécessaire, puisqu'il fallait modifier le droit.

Les femmes se méfiaient des enseignements que l'on concédait aux femmes. Elles redoutaient leur dévalorisation. C'est pourquoi les féministes de la Belle Époque revendiquaient la «coéducation» des sexes, une mixité des programmes et même des espaces, qui garantiraient une certaine égalité. Condition nécessaire, la mixité n'est pas cependant une condition suffisante. La réussite scolaire des filles serait-elle «fausse»? Aujourd'hui, en France, mixité et égalité scolaires sont à peu près réalisées. Mais le chemin est encore long pour l'égalité professionnelle et sociale. Une autre histoire que nous aborderons plus loin.

Femmes et création : écrire

Ainsi les femmes ont une âme. Mais ont-elles un esprit ? Oui, dit Poulain de la Barre[1], un des premiers à affirmer au XVIIᵉ siècle l'égalité des sexes, dans le sillage de son maître, Descartes, pour lequel « l'esprit n'a pas de sexe ». Oui, affirment, de part et d'autre de la Manche, Mary Astell et Marie de Gournay, engagées elles aussi dans « la querelle des femmes », substrat d'un préféminisme novateur[2].

Mais les femmes sont-elles susceptibles de créer ? Non, dit-on assez généralement et continûment. Les Grecs font du *pneuma*, le souffle créateur, la seule propriété de l'homme. « Les femmes n'ont jamais fait de chefs-d'œuvre », dit Joseph de Maistre. Auguste Comte les voit seulement capables de reproduire. Comme Freud, qui leur attribue néanmoins l'invention du tissage : « On estime que les femmes ont apporté peu de contributions aux découvertes et aux inventions de l'histoire de la culture, mais peut-être ont-elles quand même inventé une technique, celle du tressage et du tissage[3]. » Pourquoi cela ? Certains donnent à cette déficience un fondement anatomique. Les physiologistes de la fin du XIXᵉ siècle, qui scrutent les localisations cérébrales, avancent que les femmes ont un cerveau plus petit, plus léger, moins dense[4]. Et certains neurobiologistes d'aujourd'hui cherchent toujours dans l'organisation du cerveau le fondement maté-

1. Poulain de la Barre, *De l'égalité des deux sexes*, 1671.
2. Selon l'expression de Guyonne Leduc.
3. Françoise Collin, Évelyne Pisier et Eleni Varikas, *Les Femmes de Platon à Derrida*, *op. cit.*, p. 602.
4. Steven J. Gould, *La Mal-Mesure de l'homme*, Paris, Odile Jacob, 1997.

riel de la différence sexuelle. Catherine Vidal et Dorothée Benoist-Browaeys exposent et discutent ces hypothèses dans un livre récent : *Cerveau, sexe et pouvoir*[1]. On refuse aux femmes les qualités d'abstraction (les mathématiques leur seraient particulièrement inaccessibles), d'invention, de synthèse. On les dote d'autres qualités : intuition, sensibilité, patience. Elles sont inspiratrices, voire médiatrices de l'au-delà. Médiums, muses, auxiliaires précieuses, copistes, secrétaires, traductrices, interprètes. Pas plus.

Écrire, penser, peindre, sculpter, composer de la musique... tout cela n'était pas pour ces imitatrices. Même la couture ou la cuisine, pratiques coutumières des femmes, ont besoin de devenir masculines pour être « haute » (la haute couture) ou « grande » (la grande cuisine). Contre les mœurs patriarcales de la restauration, des femmes aux fourneaux d'Auvergne s'étaient insurgées et avaient, il y a quelques années, créé une association de « cuisinières auvergnates ». Heureusement, même dans ce domaine, il existe aujourd'hui des créatrices reconnues, comme Hélène Darroze (Paris). Dans la haute couture, Madeleine Vionnet, Coco Chanel, Jeanne Lanvin et, plus proches de nous, Sonia Rykiel ou Agnès b., pour ne parler que de la France, ont su s'imposer et, du même coup, introduire d'autres conceptions de la mode et du corps féminins. Elles participent directement à l'histoire des apparences où se jouent aussi les rapports de sexes.

Écrire pour les femmes ne fut pas chose facile[2]. Leur écriture restait cantonnée au domaine privé, au courrier familial, ou à la comptabilité de la petite entreprise. Chez les compagnons, la

---

1. Paris, Belin, 2005, avant-propos de Maurice Godelier.
2. Marie-Claire Hoock-Demarle, « Lire et écrire en Allemagne », in *Histoire des femmes en Occident, op. cit.*, t. 4, p. 147-167.

« mère » aubergiste était souvent une femme instruite qui tenait les comptes des ouvriers et jouait le rôle d'écrivain public.

Publier, c'était autre chose. Christine Planté a montré les sarcasmes qui, au XIXe siècle, s'attachent aux femmes « auteurs »[1]. De plus en plus nombreuses alors sont celles qui tentent de gagner leur vie de leur plume. Elles écrivent dans des journaux, des magazines féminins. Elles publient des ouvrages d'éducation, des traités de savoir-vivre, des biographies de « femmes illustres », genre historique très en vogue, des romans. Le roman, c'est l'introït des femmes dans la littérature. Dans le dernier quart du XIXe siècle, les feuilletonistes femmes étaient relativement nombreuses (de l'ordre de 20 % en Angleterre, mais guère plus de 10 % en France), grâce surtout aux périodiques féminins (comme *La Veillée des chaumières*). Elles gagnent laborieusement leur vie, et ne prétendent pas se dire « écrivains » : frontière prestigieuse autrement difficile à franchir, en raison des résistances. Dans le concert de ceux qui « n'aiment pas les femmes qui écrivent » voisinent hommes des Lumières, comme Necker[2], conservateurs comme Joseph de Maistre, libéraux comme Tocqueville, républicains comme Michelet ou Zola. Les dandys et les poètes, tels Barbey d'Aurevilly, Baudelaire, les frères Goncourt, grands prêtres des lettres, vont plus loin encore. Ces derniers disaient, pour expliquer l'exception George Sand, qu'elle avait sans doute « un clitoris gros comme nos verges ». Il est vrai qu'ils cultivaient la misogynie graveleuse.

George Sand, justement, constitue l'exemple même de la position toujours frontalière, même dans son cas, d'une « femme écri-

---

1. Christine Planté, *La Petite Sœur de Balzac. Essai sur la femme auteur*, Paris, Seuil, 1989.
2. Jean-Denis Bredin, *Une singulière famille (les Necker)*, Paris, Fayard, 1999.

vain». D'abord, par sa détermination : elle avait, au couvent, «la rage d'écrire» et réalisa son ambition, contre l'avis des siens et notamment de sa belle-mère. Ensuite, par son choix d'un pseudonyme masculin, dont Martine Reid[1] a montré toute la complexité. L'absence de *s* à George est-il volonté androgyne ? Sans doute cherchait-elle à échapper à l'obscure cohorte des «femmes auteurs», pour s'inscrire dans le glorieux sillage des grands écrivains. En tout cas, elle endosse sa masculinité, du moins dans sa vie professionnelle, parle d'elle au masculin, se sent parfaitement à l'aise, seule femme, aux dîners Magny. Et, chose exceptionnelle, elle fait de son pseudonyme un patronyme qu'elle lègue à sa descendance.

L'écriture est, pour elle, un travail, «la pioche» comme elle dit à Flaubert, qu'elle accomplit avec conscience, surtout la nuit. Travailler signifie identité, utilité. Une journée sans *travail*, mot qui revient sans cesse dans ses *Agendas* quotidiens (tenus de 1854 à 1876), est manquée. C'est aussi un moyen de gagner sa vie et de faire vivre une maisonnée qui allait bien au-delà des limites de la famille. Aussi elle discute de façon serrée ses contrats avec ses éditeurs, Buloz, Hetzel ou Michel Lévy. L'écriture, certes, est un métier : «Le métier d'écrire est une violente et presque indestructible passion.» Mais elle ne s'est jamais «enterrée en littérature». En 1836, elle écrit à un ami (Fortoul, ministre de l'Instruction publique) : «Il y a, sur cette terre, mille choses qui valent mieux [que la littérature] : la maternité, l'amour, l'amitié, le beau temps, les chats et mille autres choses encore.» Elle aurait pu ajouter : l'équitation, le jardinage, les confitures, les voyages. Bien des écrivaines ont tenu des propos similaires : elles refusent l'absorption

---

1. Martine Reid, *Signer Sand. L'œuvre et le nom*, Paris, Belin, coll. «L'extrême contemporain», 2003.

de la vie par l'œuvre. À l'instar de Germaine de Staël, bridée sur ce point par son père, Necker, elles redoutent que « la gloire [ne soit que] le deuil éclatant du bonheur ». Or, dans la construction des identités, la gloire est masculine et le bonheur, féminin. Le bonheur, pour les femmes, est une ardente obligation, individuelle et familiale, parfois collective (et alors clef des engagements sociaux).

George Sand, enfin, veut faire œuvre utile, au service de son idéal de justice sociale, ce qui l'oppose à son ami Flaubert, partisan de l'art pour l'art et hanté par le souci de la forme. Elle l'exhorte à plus de décontraction et de spontanéité. « Je crois que vous prenez plus de peine qu'il ne faut et que vous devriez laisser faire l'autre [= l'autre en vous] plus souvent », lui écrit-elle en 1866.

La réception de l'œuvre de Sand illustre aussi les difficultés de la reconnaissance. L'éclatant succès, en France et plus encore à l'étranger, jusqu'en Russie, n'empêche pas une critique misogyne féroce, qui raille son abondance, son style « coulant » : elle serait « la vache laitière » de notre littérature. Ses meilleures œuvres auraient été inspirées par des hommes (Musset), voire écrites par eux (Pierre Leroux serait l'auteur de *Spiridion*, même de *Consuelo*…). Puis vient la controverse politique autour de ses engagements (1848) ou de ses retraits (la Commune). Et l'oubli de celle qui n'est plus aux yeux de la postérité que la « bonne dame de Nohant », auteure de romans paysans pour la Bibliothèque rose, dont la grand-mère de Proust recommandait la lecture à son petit-fils pour les qualités du style.

Le cas Sand, dans ses paradoxes, illustre la difficulté pour une femme de franchir la barrière des lettres. Et pourtant, les femmes ont franchi cette barrière. Aux XIXe et XXe siècles, elles ont conquis la littérature, en particulier le roman, devenu le territoire des grandes romancières anglaises (Jane Austen, les sœurs Brontë, George Eliot, Virginia Woolf et les autres) et françaises (Colette, Marguerite Yourcenar, Nathalie Sarraute, Marguerite Duras, Françoise Sagan, etc.). Elles se sont attaquées à tous les types de romans : l'ancien et le nouveau, le rose et le noir, le sentimental et le policier, naguère apanage des hommes et devenu dans les dernières années un de leurs domaines favoris. Sept femmes ont obtenu le prix Nobel de littérature : ainsi, Nadine Gordimer, Toni Morrison et, en 2004, l'Autrichienne Elfriede Jelinek, dont l'œuvre au noir tente de rendre compte du tragique, privé et public, du monde contemporain.

D'autres frontières résistent plus encore : les sciences, notamment les mathématiques, dont l'abstraction a été longtemps considérée comme un obstacle rédhibitoire à l'exercice des femmes. Et le cristal de la pensée : la philosophie. Dans *Les Femmes de Platon à Derrida. Anthologie critique*, cinquante-cinq hommes pour quatre femmes : les Anglaises Mary Astell et Mary Wollstonecraft, Hannah Arendt, Simone de Beauvoir, auxquelles j'aurais volontiers ajouté pour ma part Simone Weil, l'auteure de *La Pesanteur et la Grâce* et de *La Condition ouvrière*.

Hannah Arendt est la seule qui soit aujourd'hui véritablement reconnue comme philosophe et même étudiée en classe de philosophie. Sa réflexion sur la démocratie, le totalitarisme, la judéité, la « banalité du mal » (on se souvient du procès d'Eichmann, qu'elle suivit en Israël) fait d'elle une des principales théoriciennes de *La Condition de l'homme moderne*, titre d'un de ses livres. La question de la différence des sexes n'était pas centrale pour elle : c'était une évidence dont il fallait tenir compte, et qui ne méritait pas théorie. Pourtant, en écrivant la vie de Rahel Varnhagen, une « juive allemande à l'époque du romantisme », elle se heurte au double obstacle de la judéité et de la féminité, qui, sans doute, la préoccupait plus qu'on ne le dit[1].

Pour Simone de Beauvoir, au contraire, la réflexion sur *Le Deuxième Sexe* – les femmes – est cardinale. En analysant la féminité, non comme un fait de nature, mais comme un produit de la culture et de l'histoire, elle inaugure une pensée de la déconstruction d'une grande portée, mais sans doute plus difficilement recevable en son temps. Elle est, en quelque sorte la mère du *genre* (sans le mot, qu'elle n'employait pas).

Pourquoi si peu de femmes philosophes ? Manquent-elles de l'expérience du monde ? ou de celle de la pensée ? Manquent-elles de formation ? d'audace théorique ? d'ambition ? Le particularisme des femmes, celui du moins qu'on leur attribue, et auquel on les rive, leur permet-il d'accéder à l'universel ? Était-ce tout simplement impensable ? Un peu de tout cela sans doute.

Peindre, composer de la musique, au-delà des arts d'agrément, n'était guère plus simple.

La vie d'artiste

Écrire fut difficile. Peindre, sculpter, composer de la musique, créer de l'art le fut encore plus. À cela, des raisons de fond : l'image et la musique sont des formes de création du monde. La musique surtout, langage des dieux. Les femmes y sont impropres. Comment pourraient-elles participer à cette mise en forme, à cette orches-

---

1. Comme l'ont montré Françoise Collin, in *L'homme est-il devenu superflu ? Hannah Arendt*, Paris, Odile Jacob, 1999, et Julia Kristeva, in *Le Génie féminin, I. Hannah Arendt*, Paris, Fayard, 1999.

tration de l'univers? Les femmes peuvent tout juste copier, traduire, interpréter. Être cantatrice, par exemple. La cantatrice est
une grande figure féminine de l'art et c'est à bon droit que George
Sand l'avait élue comme héroïne de son plus grand roman,
Consuelo.

Les femmes peuvent peindre pour les leurs, crayonner les portraits des enfants, esquisser des bouquets de fleurs ou des pay-
sages. Jouer au piano Schubert ou Mozart pour une soirée
amicale ou mondaine.

À cet usage privé de l'art, une bonne éducation pourvoit, par
l'initiation aux *arts d'agrément,* que Sand appelait les «arts de
désagrément» et qui lui donnèrent pourtant une initiation musicale et picturale forte. «Un bel écouter», comme disait Liszt.

Mais cette initiation ne devait mener ni à une profession ni à
la création. Tout juste, en cas de besoin, une femme pouvait-elle
donner des leçons de dessin ou de piano, fabriquer des objets
(Sand dessina des boîtes et peignit des dendrites) ou copier des
chefs-d'œuvre dans les galeries des musées (comme on le voit
dans le tableau d'Hubert Robert, *Projet d'aménagement de la
grande galerie du Louvre*). Les musées, dont Baudelaire prétendait
qu'ils étaient les seuls endroits convenables pour une femme.

Un véritable apprentissage était exclu. Sous prétexte que
le nu devait être caché aux jeunes filles, on leur refusait l'accès
à l'École des beaux-arts qui, à Paris, ne leur fut ouverte qu'en
1900, non sans chahut des étudiants. Les filles devaient se
rabattre sur les écoles et les académies privées, dont la plus célèbre
fut à Paris l'académie Jullian. De petits maîtres, tels Robert-
Fleury, Bastien-Lepage, dispensaient un enseignement académique fondé sur l'Antique et le nu. Les jeunes filles y affluaient
de toute l'Europe. C'était un milieu très vivant, que Denise Noël
a décrit dans sa thèse, malheureusement inédite, sur les femmes

peintres à Paris dans la seconde moitié du XIXe siècle[1]. Elle s'appuie sur les journaux et correspondances qu'ont laissés des artistes comme Louise Breslau, Sophie Shaeppi ou Marie Bashkirtseff. Cette jeune aristocrate russe, morte à vingt-sept ans de tuberculose (1858-1885), a écrit un journal de dix-neuf mille pages, déposé par sa mère à la Bibliothèque nationale[2]. C'est un remarquable témoignage sur le quotidien et les souffrances d'une jeune femme qui aspirait à être une véritable artiste et se heurtait à l'incompréhension de sa famille, qui ne pensait qu'à la marier, et aux préjugés de son temps. À l'académie Jullian, dont elle appréciait l'atmosphère de camaraderie égalitaire, elle était heureuse : « À l'atelier, tout disparaît, on n'a ni nom, ni famille. […] On est soi-même, on est un individu et on a devant soi l'art et rien d'autre. » Mais elle déplore l'insuffisance de formation, le machisme et la condescendance dont font preuve les professeurs : « Ces Messieurs nous méprisent, écrit-elle, et ce n'est que quand ils trouvent une facture forte et brutale qu'ils sont contents. C'est un travail de garçon, a-t-on dit de moi. Cela a du nerf, c'est nature. » Elle est primée, contente, mais pas dupe. Elle sait le chemin à parcourir pour devenir vraiment grande. « Je me ferais bien communarde rien que pour faire sauter les maisons, les intérieurs de famille ! » écrit cette révoltée qui collabore à *La Citoyenne*, d'Hubertine Auclert, suffragiste française, et soutient la création de l'Union des femmes peintres et artistes, fondée en 1881 par la sculptrice Hélène Bertaux. Elle parvint cependant à se faire admettre au Salon, principale instance de légitimation officielle.

1. Cf. son article dans « Femmes et images », *Clio. Histoire, femmes et sociétés*, n° 19, 2004.
2. En cours de publication intégrale aux éditions de L'Âge d'homme. Un volume a paru à ce jour en 1999. Cf. la biographie de Colette Cosnier, *Marie Bashkirtseff. Un portrait sans retouches*, Paris, Horay, 1985.

On peut aujourd'hui voir des tableaux de cette artiste douée, trop tôt disparue, dans divers musées, notamment à Nice.

Au Salon, les jurys, entièrement masculins, attendaient des femmes qu'elles se conforment aux canons de la féminité, par les sujets : natures mortes, portraits, scènes d'intérieurs et surtout bouquets de fleurs, qui formaient une section entière ; et par la facture. Ni nu ni peinture d'histoire. Le nu, ce tabou absolu, a été la conquête des femmes au XXᵉ siècle, comme l'a montré Marie-Jo Bonnet[1]. Cela inclinait au conformisme. D'où les protestations de Baudelaire contre cette « invasion » de femmes qui affadissent la peinture. Ou les cris des futuristes (Marinetti) contre « le moralisme, le féminisme » et l'appel à la guerre comme hygiène d'un monde dévirilisé. Dans les avant-gardes, les femmes étaient peu nombreuses, sauf quand elles entretenaient avec elles des liens familiaux. Telle Berthe Morisot, belle-sœur d'Édouard Manet qui en fit un de ses modèles favoris, sans jamais la représenter comme peintre. Berthe n'avait pas même d'atelier à elle. Elle se limita à la peinture d'intérieur, et surtout à celle de sa fille, Julia, du berceau à l'adolescence. « Le désir de glorification après la mort me paraît une ambition démesurée, écrit-elle dans ses *Carnets*[2]. La mienne se bornerait à vouloir fixer quelque chose de ce qui se passe. » On a d'elle quelques rares autoportraits, tout juste esquissés, comme si elle en avait honte[3]. Elle souffrait de sa marginalité artistique : « Je ne crois pas qu'il y ait jamais eu un homme

---

1. Marie-Jo Bonnet, *Les Femmes dans l'art*, *op. cit.*, livre qui renouvelle le sujet par l'information et l'approche.
2. Anne Higonnet, *Berthe Morisot, une biographie, 1841-1895*, Paris, Adam Biro, 1989 (traduit de l'américain) ; *Berthe Morisot's Images of Women*, Harvard University Press, 1992.
3. *Berthe Morisot, 1841-1895*, catalogue de l'exposition du musée des Beaux-Arts de Lille, 2002.

traitant une femme d'égal à égale, et c'est tout ce que j'aurais demandé, car je sais que je les vaux. » Derrière la mélancolique douceur de Berthe, on devine la violence de la création blessée.

La vie quotidienne des femmes peintres n'était pas aisée. L'atelier est un monde d'hommes où elles ne sont admises que comme modèles. Elles n'ont pas les moyens d'en avoir un, peignent dans un coin de leur appartement, manquent d'argent pour acheter les matériaux nécessaires. Et il n'est pas simple de planter son chevalet dehors. Pour le faire, et avoir le droit de porter un pantalon, Rosa Bonheur dut solliciter l'autorisation du préfet de police ; ses immenses toiles animalières sont un défi aux canons de l'art au féminin. Pour pallier ces problèmes, les femmes peintres cherchaient à se grouper, formaient des couples, d'amies, de lesbiennes souvent – ainsi Anna Klumpke et Rosa Bonheur[1] –, telles que les peignent Tamara de Lempicka ou Leonor Fini. Elles inventaient des solutions originales pour exercer leur art et pour le vivre.

Tout cela ne favorisait ni la création ni la reconnaissance nécessaire à la vente des toiles. Les chercheuses ont, depuis quelques années, aux États-Unis et en France, repéré à travers les catalogues des salons et des musées des dizaines, voire des centaines d'artistes. Mais pour la plupart obscures. Qui se souvient des Italiennes Artemisia Gentileschi (XVIe siècle) (à laquelle Agnès Merlet a consacré un film en 1997), hantée par l'héroïsme féminin, Esther, Bethsabée et surtout Judith, ou Rosalba Carriera (1675-1758), dont on peut admirer de beaux tableaux au musée de l'Académie à Venise ? L'une et l'autre semblent avoir eu un sort tragique, lié à leur volonté d'émancipation. Il était préférable de travailler pour un grand homme, de se limiter au portrait, de femme, reine de pré-

---

1. Britta C. Dwyer, *Anna Klumpke. A Turn-of-the-Century Painter and her World*, Northeastern University Press, 1999.

férence, comme Élisabeth Vigée-Lebrun. Il valait mieux s'investir dans les genres secondaires. Les arts décoratifs, où les femmes sont de plus en plus nombreuses aux XIXᵉ et XXᵉ siècles et dont Charlotte Perriand, aux côtés de Le Corbusier, fait une dimension de la manière de vivre. Ou encore la photographie, « un art mineur », comme disait Pierre Bourdieu. De Julia Cameron à Diane Arbus, Claude Cahun, Janine Niepce, tant d'autres, qu'on redécouvre tous les jours à la faveur d'expositions, l'objectif dessine un chemin lumineux du regard féminin. Et je ne parle pas ici de la création cinématographique où s'affirment aujourd'hui tant de talents, d'Agnès Varda à Jane Campion.

Au XXᵉ siècle, les choses ont-elles changé ? Oui, mais sans bouleversement. D'une part, il y a de plus en plus de couples de peintres, hommes et femmes, notamment dans les ateliers d'Europe centrale des années 1920-1930, dans l'expressionnisme allemand, le Blaue Reiter, le Bauhaus. Ainsi Jean Arp et Sophie Taeuber-Arp, Robert et Sonia Delaunay. D'autre part, une minorité de femmes prennent leur indépendance, telles Vieira da Silva, Frida Kalho, Niki de Saint Phalle. C'est tout de même une minorité et les grands noms restent masculins. Plus encore du côté de la sculpture, comme le montrent l'histoire dramatique de Camille Claudel et celle, plus apaisée, de Louise Bourgeois. L'architecture, art du plan et du chantier, s'affirme comme virile par excellence. Gae Aulenti est une Italienne d'exception.

Et la musique ?

Elle cumule les obstacles. De la part des familles, d'abord. La mère de Mme Roland refusait de faire de sa fille une virtuose parce qu'« elle voulait par-dessus tout que j'aimasse les devoirs de mon sexe et que je fusse femme de ménage, comme mère de famille », écrit-elle dans ses *Mémoires*. Le père de Félix et Fanny

Mendelssohn, également doués, écrit à cette dernière, en 1820, à propos de la musique : « Peut-être deviendra-t-elle pour lui une profession, tandis que pour toi, elle ne sera jamais qu'un ornement. »

Pire encore quand les objurgations viennent du mari ou du compagnon. Clara Schumann se sacrifie à Robert ; Alma Mahler à Gustav. Durant leurs fiançailles, celui-ci lui avait demandé explicitement de renoncer à sa musique. « Comment te représentes-tu un ménage de compositeurs ? T'imagines-tu à quel point une rivalité si étrange deviendra nécessairement ridicule ? [...] Que tu doives être celle dont j'ai besoin, [...] mon épouse et non pas ma collègue, cela, c'est sûr. » Ce qu'il lui propose, c'est la collaboration et l'amour fusionnel de leur être et de leurs musiques[1].

Les compositrices furent rares et oubliées. Ainsi pour Augusta Holmès, compagne de Catulle Mendès, amie de Richard Wagner, auteure d'un opéra, de plusieurs symphonies, de nombreuses pièces pour piano et célèbre à la fin du XIXe siècle. Pourquoi fut-elle si vite oubliée ? « Sans doute parce qu'elle ne fut pas un modèle de mère, qu'elle rejeta les codes mondains [...] et qu'elle s'entêta à faire un métier d'homme, à la différence d'autres musiciennes telles qu'Alma Mahler, Fanny Mendelssohn ou Clara Schumann », nous dit sa biographe, Michèle Friang, qui s'efforce de la faire redécouvrir[2].

Aujourd'hui, les difficultés persistent dans le domaine musical. Il y a de plus en plus de femmes brillantes interprètes, non seulement comme pianistes (Marta Argerich, Hélène Grimaud), mais comme violonistes (Anne-Sophie Mutter). Mais les com-

1. Jacqueline Rousseau-Dujardin, « Compositeur au féminin », *in* Geneviève Fraisse *et alii*, *L'Exercice du savoir et la Différence des sexes*, Paris, L'Harmattan, 1991.

2. Michèle Friang, *Augusta Holmès ou la Gloire interdite. Une femme compositeur au XIXe siècle*, Paris, Autrement, 2003.

positrices et même les chefs d'orchestre sont rares ; il semble que les formations répugnent à être dirigées par une femme. La reconnaissance tardive qu'on accorde aujourd'hui à Betsy Jolas (née en 1926), grande dame de la musique dodécaphoniste, proche de Pierre Boulez et d'Henri Dutilleux, avant de travailler en solitaire, est exceptionnelle.

Les femmes sont pourtant aujourd'hui les principales consommatrices d'art. Elles peuplent les chorales, hantent les concerts, les expositions. Elles sont aussi mécènes, même si les grandes collections d'art sont plus souvent masculines, l'argent et le pouvoir étant affaires d'hommes. Pourtant, dotées de ces atouts, elles savent s'en servir. Marie de Médicis commanda à Rubens la série que l'on peut voir au Louvre[1] ; la Grande Catherine ou Mme de Pompadour connaissaient l'influence du goût ; Nelly Jacquemart fut la compagne avisée de son mari, le banquier André. Anne Pingeot fut sans doute la principale inspiratrice du Louvre de François Mitterrand. Et le mécénat musical féminin fut essentiel pour la musique française contemporaine. Debussy, Gabriel Fauré, César Franck, Vincent d'Indy, Satie, Saint-Saëns, bien d'autres, durent leur notoriété à l'appui de la comtesse Greffulhe, de Marguerite de Saint-Marceaux ou de la princesse Singer-Polignac. Elles agirent par leurs commandes et par leurs salons, lieux de création, d'audition, voire de concerts, où la musique n'était pas seulement l'accessoire des réceptions mondaines[2], mais le cœur battant de l'art.

Le rôle des femmes dans la création artistique, hier et aujourd'hui, doit donc être réévalué.

1. Fanny Cosandey, « Marie de Médicis et le cycle de Rubens au palais du Luxembourg », *Clio. Histoire, femmes et sociétés*, n° 19, 2004, p. 63-83.
2. Myriam Chimènes, *Mécènes et musiciens. Du salon au concert à Paris sous la IIIe République*, Paris, Fayard, 2004.

IV

Le travail des femmes

Les femmes ont toujours travaillé. Leur travail était de l'ordre du domestique, de la reproduction, non valorisé, non rémunéré. Les sociétés n'auraient jamais pu vivre, se reproduire et se développer sans le travail domestique des femmes, mais il est invisible.

Les femmes n'ont pas toujours exercé des métiers reconnus, des professions donnant lieu à rémunération. Tout juste étaient-elles auxiliaires de leur mari, dans l'artisanat ou la boutique, ou sur le marché. Leur maniement de l'argent posait problème, surtout quand elles étaient mariées. Elles savaient compter pourtant, et le célèbre tableau de Bassano mettant en scène les Portinari montre un couple de changeurs à parité dans l'action.

C'est le salariat, notamment l'industrialisation, qui, à partir des XVIIIe-XIXe siècles, dans les sociétés occidentales, a posé la question du «travail des femmes». Les femmes peuvent-elles, doivent-elles accéder au salariat, c'est-à-dire recevoir une rémunération individuelle et surtout quitter la maison, le foyer, qui était leur ancrage et leur utilité?

Les paysannes

Longtemps, les femmes ont été des paysannes liées aux travaux des champs ; à la veille de la Seconde Guerre mondiale, en France, c'était encore la condition de près de la moitié des femmes. Dans le monde, les paysannes sont sans doute encore largement majoritaires, si l'on songe à l'Afrique, l'Asie, l'Amérique latine.

Or elles sont les plus silencieuses des femmes. Enfouies dans la hiérarchie de sociétés patriarcales, elles émergent peu individuellement, fondues dans le groupe, dans la famille, dans les travaux et les jours d'une vie rurale qui semble échapper à l'histoire, et que décrivent plutôt les ethnologues. Rien d'étonnant à ce que notre savoir sur les femmes rurales nous vienne d'eux. Ainsi, en France, de la Société d'ethnologie et de sa revue, *Ethnologie française*. Les musées des Arts et Traditions populaires montrent leurs instruments, leur mobilier, leurs vêtements, leurs coiffes, inestimables témoignages qui ont malgré tout pour effet de les figer dans des postures et des tenues impeccables, loin du rugueux de leur quotidien. Martine Segalen, Agnès Fine (Sud-Ouest), Anne Guillou (Bretagne), Yvonne Verdier... se sont particulièrement attachées à l'étude des rôles masculins et féminins dans le travail et la culture rurale. Le livre d'Yvonne Verdier, trop tôt disparue, a fait date. Résultat d'une longue enquête menée en Bourgogne, autour du village de Minot, *Façons de dire, façons de faire. La laveuse, la couturière, la cuisinière, la femme qui aide*[1] montre avec subtilité ce qui se joue autour de ces personnages dans le fonctionnement quotidien et la transmission

---

1. Paris, Gallimard, 1979.

des gestes, des savoirs et d'une symbolique fortement marquée par le corps et les liquides : l'eau, le sang, le lait.

Les témoignages directs sont extrêmement rares. On citera Marguerite Audoux (*Marie-Claire*, 1910), Jakez Elias (*Le Cheval d'orgueil*, 1975). Joëlle Guillais a recueilli les mémoires de *La Berthe* (1988), paysanne du Perche. Quelques romans ont valeur ethnologique, tels ceux de George Sand, une des premières à camper des personnages de femmes champêtres : Valentine, Jeanne, Nanon, et la célèbre *Petite Fadette*. La peinture, lorsqu'elle prend en compte le monde rural, le fait de manière souvent conventionnelle : de Brueghel et Le Nain à Jean-Baptiste Millet, dont les croquis valent mieux que *L'Angelus*, et même Van Gogh, dont les fameux *Mangeurs de pommes de terre* ne sont pas exempts de bestialité. Dès qu'il s'agit de la terre, les représentations priment ; les stéréotypes, produits du régionalisme et des idéologies politiques, fleurissent. Et les femmes en sont le support privilégié. On le voit bien dans le roman de Zola, *La Terre*.

Les conflits, lorsqu'ils donnent lieu à procès, livrent quelques éclats de voix moins convenues. D'où l'intérêt des recherches qui les prennent comme levier, telles celles d'Élisabeth Claverie et Pierre Lamaison[1], sur le Gévaudan qui tente de persévérer dans le maintien du droit d'aînesse et dans la pratique d'un système d'alliances au service d'un holisme familial déchiré par la montée inexorable d'un individualisme dont les femmes sont des actrices efficaces ; ou celles d'Annick Tillier sur les *femmes infanticides en Bretagne au XIXᵉ siècle*.

C'est peu. Ces femmes, nos aïeules, qui, il y a trois ou quatre générations, vivaient au village, ont disparu avec lui. Tout juste

---

1. Élisabeth Claverie et Pierre Lamaison, *L'Impossible Mariage. Violence et parenté en Gévaudan*, Paris, Hachette, 1982.

dispose-t-on de vieilles photos où elles posent, en groupe, lors d'un mariage, endimanchées, avec leur époux, le jour de leurs noces, ou à la veille du départ à l'armée, surtout en 1914. Beaucoup plus rarement de correspondances, écrites dans les temps de séparation d'un couple, pendant le service militaire ou pendant la guerre. On les a laissées partir sans recueillir leur mémoire. Mon arrière-grand-mère, Agathe, poitevine, ne savait ni lire ni écrire ; elle rouissait et filait le chanvre et ne m'a légué qu'un rouet disjoint, disparu lors d'un déménagement.

L'ordinaire des jours

La vie des paysannes était réglée par celle de la famille et les rythmes des champs. Dans une très forte division des rôles, des tâches et des espaces. À l'homme, le labour et les transactions de la foire. À la femme, la maison, le soin de l'élevage, de la basse-cour et du potager, dont, telle Perrette, elles vendaient les produits au marché. Selon leur âge et leur place dans la famille, elles travaillaient aux champs, lors des moissons, des récoltes de toute nature, pommes de terre ou vendanges, courbées vers la terre ou sous le poids des charges. La vieille paysanne est une femme voûtée. Elles s'occupaient du troupeau, des vaches qu'elles gardaient et trayaient, des chèvres pour le fromage, dont la fabrication artisanale leur revenait. « Pas de femme, pas de vache, donc pas de lait, pas de poule, ni poulet, ni œuf. » La paysanne est une femme occupée, soucieuse d'abord de vêtir (elle file) et de nourrir les siens (autosubsistance et confection des repas), et, si possible, d'apporter au ménage un supplément monétaire dès que la campagne s'est ouverte au marché : marché alimentaire, marché textile. Très tôt, elle file pour l'extérieur, ou fait de la dentelle (ainsi dans les régions du Puy, d'Alençon ou de Bayeux) que des facteurs viennent chercher jusque dans les villages. Le luxe, à la cour et à la ville, surtout à partir du XVIIe siècle, a accru la demande en direction des femmes, ainsi entrées dans le circuit monétaire.

Ce monde rural, dont le couple conjugal – le ménage, *household* – constitue le pilier, est très hiérarchisé : entre les sexes (le maître, c'est lui) ; entre les femmes. La maîtresse règne sur sa maisonnée. Elle veille sur ses filles, soucieuse de leurs fréquentations et de leur trousseau, mode de transmission privilégié entre mère et fille[1]. Elle prend soin du linge et les jours de lessive sont des cérémonies. Elle s'occupe des parents âgés, non sans rechigner contre une cohabitation persistante, mais de plus en plus mal supportée. Elle surveille ses servantes, souvent en butte aux agaceries des valets, ou du maître, surtout si leur taille grossit sous leur sarrau ou leur tablier. Ces servantes, placées par des familles nombreuses, qui ne peuvent les employer et les nourrir, appartiennent à la couche la plus pauvre et la plus exposée du monde rural.

Cette vie rude a ses rites et ses plaisirs pour les femmes, dont le pouvoir caché est souvent très fort. Il s'exerce par le regard et par la parole. À l'église, où elles sont les plus ferventes. Sur les marchés, où elles gèrent le commerce de détail. Au lavoir, les femmes parlent entre elles et le linge porte à la confidence. Les hommes redoutent les caquets des lavoirs, qui opèrent une sorte de censure, défont une réputation. À la veillée, les vieilles femmes racontent des histoires et transmettent les légendes et les faits divers du pays. Mais bientôt les jeunes migrants leur dament le pion par leurs récits où bruissent les rumeurs de la ville. Ainsi la vieille Fouénouse se tait au coin de l'âtre dans son village limousin

---

1. Agnès Fine, « À propos du trousseau, une culture féminine ? », *in* Michelle Perrot (dir.), *Une histoire des femmes est-elle possible ?*, Marseille, Rivages, 1984, p. 156-180.

qu'elle animait de ses contes, selon Martin Nadaud dans ses *Mémoires de Léonard*[1], témoignage fort riche sur les effets des migrations sur les relations entre les sexes au XIXᵉ siècle.

L'enquête d'Yvonne Verdier date de plus de trente ans. À Minot, les rôles des femmes sont très marqués dans une culture du corps dont elles sont les prêtresses. La laveuse sait les secrets du linge, palimpseste des nuits d'un couple. La couturière, médiatrice entre ville et campagne, confidente des désirs de luxe et de séduction, accueille chaque hiver les filles qui auront quinze ans dans l'année pour leur apprendre la « marquette » de leur linge pour leur trousseau, en même temps que les mystères de la vie de femme. La cuisinière transmet les recettes rurales. Présente dans toutes les grandes circonstances de la vie – baptêmes, mariages et enterrements –, la « femme qui aide » est la gardienne de la mémoire des familles, la témoin de leurs conflits, visibles lorsque des parents ne parviennent pas à s'accorder sur le menu d'un repas de noces. Elle tente des conciliations, voire des réconciliations. Elle prête un coup de main à la sage-femme, ou au besoin la supplée. Ensevelisseuse, elle fait la toilette des morts, veille à leur dernier passage. Il y a trente ans, cette culture était déjà sur son déclin. Aujourd'hui, elle a disparu.

Changements dans la vie des campagnes et des femmes

Car longtemps immobile, en apparence, la vie des campagnes change et celle des femmes aussi. Par le marché et les communications. Par l'industrialisation. Par l'instruction. Par l'exode rural.

1. Martin Nadaud, *Mémoires de Léonard, ancien garçon maçon* (1895), Paris, Hachette, 1976.

Par le rôle des guerres, surtout celle de 1914-1918, qui a vidé les campagnes de leurs jeunes hommes et transféré une partie de leurs tâches et de leurs pouvoirs aux femmes : elles apprennent à labourer, geste viril, et à gérer l'exploitation. Ces facteurs cumulés ont modifié l'équilibre des familles, les rapports de sexes et changé la vie des femmes.

L'exode rural concernait les femmes. Pas seulement parce qu'elles restaient au pays. Car elles aussi quittaient les campagnes. Les jeunes du moins. Leurs parents les plaçaient, comme servantes de ferme, ou bonnes en ville, par l'intermédiaire du curé, du châtelain ou d'un cousin ; mais aussi en usine : dans le Sud-Est, en Ardèche et dans le Lyonnais, il y avait des fabriques de soie – moulinage, filature, tissage – dont le patronat avait pris modèle sur Lowell, ville-dortoir américaine (près de Boston). Ces usines-internats ont suscité l'intérêt des moralistes, qui y voyaient un idéal d'équilibre féminin, et des enquêteurs (Armand Audiganne, Louis Reybaud[1]) qui les ont attentivement décrites. Les fabriques employaient ces jeunes filles dès l'âge de quatorze ans. Pour rassurer les familles paysannes dont elles étaient issues, on avait confié la surveillance de ces internats aux religieuses. Un ordre même s'était créé à cet effet. La discipline était stricte, détaillée par des règlements, et la pratique religieuse, obligatoire. Les jeunes filles restaient là plusieurs mois sans retourner dans leur famille à laquelle était versé directement leur salaire. Cet apport était fort apprécié et il a contribué à revaloriser l'estime des filles dans l'économie familiale.

---

1. Armand Audiganne, *Les Populations ouvrières et les industries de la France*, Paris, Capelle, 2 vol., 1860 ; Louis Reybaud, *Étude sur le régime des manufactures. Condition des ouvriers en soie*, Paris, Michel Lévy, 1859.

Ce type d'internat industriel a existé dans de nombreux pays en Europe (Suisse, Allemagne) et dans le monde. Sous une forme encore plus rigoureuse, en Extrême-Orient, au Japon, en Corée, en Chine. Ils existent toujours, quoique assouplis. En Chine, ils sont fort nombreux et des reportages nous montrent leur austérité laborieuse. Ils sont une des raisons des bas salaires et des coûts modiques de la main-d'œuvre chinoise.

Une fois parties, les jeunes paysannes ne revenaient pas toujours. L'appel de la ville et du train était très fort. Marguerite Audoux a raconté son départ improvisé pour Paris. Elle vient de perdre son emploi de bergère solognote. Elle accompagne sa sœur à la gare. « Les employés couraient sur le quai en criant : "Les voyageurs pour Paris, traversez !" Dans l'instant même, je vis Paris avec ses hautes maisons toutes semblables à des palais, et dont les toits étaient si hauts qu'ils se perdaient dans les nuages. » Elle monte dans le train. Elle a appris la couture à l'orphelinat des sœurs. Elle entrera dans un atelier de confection qu'elle décrit dans un autre roman, *L'Atelier de Marie-Claire*. La plupart des ouvrières viennent de la campagne, souvent par la médiation d'une petite ville de province, première étape. Jeanne Bouvier raconte à peu près la même histoire, déroulée selon des séquences analogues.

Ces jeunes femmes étaient des migrantes potentielles, parce qu'elles aspiraient à une vie meilleure et plus libre. Plus instruites, elles désiraient autre chose, devenir postière ou institutrice par exemple et pour cela, elles passaient le concours de l'école normale, qui fut pour nombre d'entre elles un formidable levier. Elles aspiraient aussi à la propreté, à une intimité que les maisons rurales ne leur accordaient pas. Lectrices de romans-feuilletons, elles rêvent d'un amour qui n'était certes pas exclu, mais qui ne constituait pas la finalité du mariage. Au XXe siècle, bien des paysans ne trouvent plus d'épouses et le célibat masculin s'accroît.

Pour que les femmes restent à la campagne, il faudra que les fermes deviennent plus confortables et que la famille cesse d'être patriarcale.

Dans la seconde moitié du XXᵉ siècle, *Celles de la terre*[1], dont parle Rose-Marie Lagrave, sont des femmes modernes, qui conduisent leur voiture, manient le chéquier, font les comptes de l'exploitation, montent parfois sur un tracteur (ainsi dans le Perche, pourtant si machiste, des romans de Joëlle Guillais[2]), s'engagent dans les associations ou le syndicalisme. Nicole Notat était fille d'agriculteurs lorrains; elle fut institutrice et s'occupa d'abord d'éducation spécialisée, avant d'entrer à la CFDT et d'y prendre des responsabilités à la faveur de Mai 68. On a même vu une femme diriger la Confédération des jeunes agriculteurs. Mais cela dans une agriculture devenue résiduelle, qui représente à peine en France 4 % de la population. La campagne disparaît en même temps qu'elle se transforme.

Le travail domestique

Le travail domestique est fondamental dans la vie des sociétés dont il assure le fonctionnement et la reproduction, et dans celle des femmes. Il pèse sur leurs épaules, elles en sont responsables. Il pèse aussi sur leur identité : la « bonne ménagère », la maîtresse de maison accomplie, façonne le modèle rêvé, l'idéal de la bonne éducation, le désir des hommes, l'obsession des

1. Rose-Marie Lagrave, *Celles de la terre. Agricultrices, invention politique d'un métier*, Paris, EHESS, 1987.
2. Notamment *Les Champs de la colère*, Paris, Robert Laffont, 1998.

femmes. Le domestique marque tout le travail féminin : la femme est toujours une maîtresse de maison. De la parfaite secrétaire, on attend qu'elle le soit aussi, qu'elle mette des fleurs et qu'elle prenne soin de son patron. C'était ainsi du moins dans le travail de bureau ancien style pour la secrétaire de direction, décrite par Josiane Pinto.

Le travail domestique résiste aux évolutions égalitaires. Entre hommes et femmes, il se partage peu. Plusieurs traits le caractérisent : il est invisible, fluide, élastique. C'est un travail physique, qui met le corps en jeu, peu qualifié et peu mécanisé en dépit des changements contemporains. Le chiffon, la pelle, le balai, la serpillière demeurent ses instruments de choix. Il paraît immobile depuis l'origine des temps, de la nuit des cavernes à l'aube des HLM. Et pourtant, il change, dans ses pratiques et dans ses agents.

Voici trois figures du travail domestique : la ménagère, la maîtresse de maison, la bonne à laquelle a succédé la femme de ménage.

La ménagère

C'est aux XVIIIe-XIXe siècles qu'on prend conscience de l'importance du travail domestique dans la vie des familles et des sociétés. La « bonne ménagère » devient l'objet de conseils, de traités d'économie domestique ou d'éducation, plus tard d'écoles, notamment dans les grandes usines qui ont à cœur de former les femmes de leurs ouvriers ; ainsi au Creusot que dirige le polytechnicien Émile Cheysson, chaud partisan de cet enseignement. Les économistes et les moralistes font de la ménagère des milieux populaires le pivot de l'équilibre économique et familial. Du coup, ils l'observent. Frédéric Le Play et son école mènent des enquêtes approfondies sur des familles populaires choisies en fonction de leur représentativité, scrutent leur budget et la manière dont la ménagère le gère. Ces « monographies de famille » sont des documents exceptionnels sur les ménages et les intérieurs populaires, et principalement sur les femmes, dont la vie et les pratiques nous sont décrites. Telle « la femme du charpentier de Paris », sous le second Empire.

Elle vit dans un petit logement de deux pièces, plus un cabinet pour la cuisine. Elle s'occupe des travaux de ménage, du linge, des courses, de la préparation des repas, au meilleur prix (pot-au-feu plus que rôti). Elle fabrique et ravaude elle-même les vêtements de la famille : le mari et deux enfants, seuls survivants des six qu'elle a mis au monde. Elle est le médecin de la famille et surtout son « ministre des Finances », car elle gère le budget. Le mari lui remet sa paie chaque semaine : pratique fréquente en France (beaucoup moins en Angleterre ou en Allemagne) et sans doute résultat de la pression des femmes. Le jour de la paie est un jour de contestation dans nombre de ménages. En outre, la femme du charpentier gagne un peu d'argent en faisant des courses et en lavant le linge d'une voisine. Elle tient beaucoup à cet appoint, comme la plupart des ménagères. Vingt ans plus tard, elle aurait sans doute loué ou acheté une machine à coudre, une Singer, pour travailler à domicile dans l'industrie de la confection. Celle-ci est la clef d'un *sweating system*, système de la sueur, épuisant pour les femmes et que les féministes et les réformateurs combattent autour de 1900. La ménagère est donc très occupée et l'on comprend que les ménages ouvriers la préfèrent au foyer plus qu'à l'usine. Même pour la CGT, c'est l'idéal à défendre. Si la ménagère cesse d'être une bonne ménagère, le couple, le foyer vont à vau-l'eau. C'est la triste histoire de Gervaise, dans *L'Assommoir* (Zola, 1878).

La maîtresse de maison bourgeoise

Celle qu'ont décrite Bonnie Smith et Anne Martin-Fugier[1] n'a pas le même type de soucis, du moins si elle a de l'argent. Car elle dépend de la somme que lui alloue son mari et c'est une source fréquente de contestations dont Zola s'est fait l'écho dans *Pot-Bouille*. Elle a la responsabilité de sa maisonnée : tenue de la maison ou de l'appartement, du linge, ordonnancement des repas, soin et prime éducation des enfants, organisation des soirées familiales, réceptions mondaines. Une bourgeoise, même moyenne, a son salon et son «jour», fastueux ou chiche, selon ses disponibilités. Pour une mère de famille qui a des filles à marier, c'est un souci obsédant.

La maîtresse de maison règne (en principe) sur ses enfants, les filles surtout, et sur les domestiques. Cette domesticité est son plus grand souci. Nombreuse encore dans l'aristocratie et la bourgeoisie aisée – voyez son importance, sociale et narrative, dans *À la recherche du temps perdu* –, elle tend à se réduire, dans la moyenne et petite bourgeoisie, à l'unique «bonne à tout faire», à laquelle les maîtresses de maison s'accrochent comme à une bouée de sauvetage. «Être servi», c'est l'ultime marque d'un rang. «Ne plus pouvoir se faire servir» signe une déchéance de statut.

Ces femmes, réduites au cercle étroit de leur maison, développent une véritable mystique féminine du travail ménager et de la reproduction, murmurent les vers de Verlaine sur «la vie simple et facile, œuvre de choix qui veut beaucoup d'amour». Leurs enfants doivent les combler. Leur ouvrage, tricot ou bro-

---

1. Bonnie Smith, *Les Bourgeoises du nord de la France, op. cit.* ; Anne Martin-Fugier, *La Bourgeoise. Femme au temps de Paul Bourget*, Paris, Grasset, 1983, réimp. 1988.

derie, les « mille riens » du quotidien les occupent et les justifient, car le « travail » est devenu valeur indispensable à l'utilité sociale. Quelques-unes s'occupent d'œuvres, ont leurs pauvres, exercent charité et philanthropie. Elles usent parfois de leur pouvoir sur leur intérieur de manière despotique. Les romans de François Mauriac offrent maints portraits de mères abusives.

Certaines s'épanouissent en des intérieurs chaleureux, tels que ceux décrits par Jane Austen. Le quotidien est un interminable roman, plein d'intrigues et de rebondissements. D'autres sont acariâtres, ou mélancoliques, et ressemblent toujours un peu aux héroïnes de Virginia Woolf, dans l'attente perpétuelle de l'événement qui ne vient pas. La situation de maîtresse de maison est une variété périlleuse de l'état de femme.

Domestiques

Une part importante du travail ménager est rémunérée. À la veille de la guerre de 1914, c'est même encore le principal secteur d'emploi des femmes. Les domestiques ne sont d'ailleurs pas des salariées comme les autres. Nourries, logées, elles reçoivent des « gages », qui leur sont versés irrégulièrement, et sujets à retenues, si elles cassent de la vaisselle ou abîment du linge. Leur journée de travail est quasi illimitée. Le dimanche n'est pas garanti, même si la pratique s'en développe. Au-delà même de leur temps et de leur force de travail, leur personne et leur corps sont requis, dans une relation personnelle qui dépasse l'engagement salarial.

Il y a bien des variétés de domestiques : cuisinières, femmes de chambre, lingères, filles de cuisine, bonnes à tout faire n'ont pas le même statut, ni les mêmes gages. Les premières s'en sortent bien. Les dernières, beaucoup moins. Placées par leurs parents, elles arrivent de la campagne (à Paris, beaucoup de Bretonnes), sont jeunes et surexploitées. Nourries de restes et logées dans les chambres, sordides et mal chauffées, des sixièmes étages, véritables nids à tuberculose. Inexpérimentées, elles sont des proies faciles, dans la maison ou en dehors, aisément séduites par le fils de la maison ou un beau parleur rencontré au bal du samedi soir, qui leur laisse «un polichinelle dans le tiroir», selon l'expression populaire. De surcroît, on les congédie si elles sont enceintes. Certes, il y a de bonnes patronnes, et de bons souvenirs. Et certaines, en économisant, arrivent à se constituer des dots qui font d'elles des partis recherchés par les ouvriers, endettés ou non. La condition domestique mène à la perdition ou à l'ascension. Mais, malgré tout, elle n'a pas bonne réputation. Surtout avec le risque de la prostitution et de la syphilis, ce «mal parisien». Aussi les provinces sont de plus en plus réticentes à envoyer leurs filles en ville, et surtout à Paris. Après 1914, celles-ci se raréfient. «On ne peut plus se faire servir» est une plainte généralisée. D'autant plus que s'ouvrent d'autres possibilités de gagner sa vie dans les hôpitaux laïcisés, qui recrutent, et les usines, plus accueillantes et mieux protégées par le droit du travail naissant.

Les «bonnes» disparaissent, au profit des femmes de ménage, souvent recrutées parmi les immigrées, espagnoles, portugaises, puis africaines et asiatiques. Non sans avoir marqué la littérature. La Félicie de Flaubert (*Un cœur simple*) est la figure la plus émouvante. La femme de chambre d'Octave Mirbeau, la plus délurée. Bécassine (*La Semaine de Suzette*, 1906), la plus cruellement caricaturée. Dans *Les Bonnes*, Genet met en scène un fait divers tragique : les sœurs Papin ont assassiné leur patronne. Elles lui ont arraché les yeux. Pourtant, on aurait dit des anges. Acte de folie meurtrière jamais complètement élucidé. Symbole, peut-être, d'un mépris intolérable et d'une condition domestique devenue insupportable.

Le travail domestique a-t-il changé ?

Oui. Dans un certain sens, il a disparu. La crise de la domesticité et les arts ménagers – industrie du froid et mécanisation – l'ont complètement modifié. L'aspirateur, qu'entre les deux guerres on appelait l'« électrobonne », a absorbé la ménagère, devenue consommatrice des salons des arts ménagers, imaginés par un socialiste, Jules Lebreton, coiffés par le CNRS et organisés dans les années 1950 dans le cadre prestigieux du Grand Palais. Ce qui montre la volonté de promouvoir une ménagère professionnelle, femme élégante qui fume la cigarette en passant l'aspirateur et en gérant sa cuisine en ingénieur.

Les travaux ménagers proprement dits se sont amenuisés. Mais les enfants – leur santé, leurs études, leurs distractions – les ont remplacés. Si bien que le domestique pèse toujours d'un poids équivalent dans l'emploi du temps des femmes. Sans que les hommes y interviennent beaucoup plus. En vingt ans, les changements sont infimes, de l'ordre de quelques pour-cent. Sociologue du domestique, théoricien de l'action ménagère, observateur sagace du couple vu à travers son linge ou ses casseroles, Jean-Claude Kaufmann analyse la résistance masculine au repassage et à bien d'autres tâches ainsi que la persistance de la répartition des rôles sexuels dans le théâtre quotidien[1].

Il y a là une structure de longue durée, matérielle et mentale, qui défie l'histoire.

---

1. Jean-Claude Kaufmann, *La Trame conjugale. Analyse du couple par son linge*, Paris, Nathan, 1992, Pocket, 1997 ; *Le Cœur à l'ouvrage. Théorie de l'action ménagère*, Paris, Nathan, 1997, Pocket, 2000 ; *Casseroles, amour et crises. Ce que cuisiner veut dire*, Paris, Armand Colin, 2005.

Ouvrières

C'est l'industrialisation qui a posé la question du travail des femmes. La manufacture, l'usine étaient pour elles un bouleversement, encore plus vif que pour leurs compagnons. Comment concilier le travail domestique, leur tâche majeure, avec ces longues heures en fabrique ?

Les ouvriers redoutaient leur concurrence : cette « armée de réserve » ferait, inévitablement, baisser les salaires, disait Marx. Un homme digne de ce nom doit pouvoir nourrir sa famille et il a besoin d'une ménagère à la maison. Et puis, l'usine avec ses machines, sa crasse, ses promiscuités sexuelles n'était pas pour elles. « Ouvrière : mot impie », écrit Michelet. Et dans un congrès ouvrier de 1867, un délégué déclare : « À l'homme, le bois et le métal. À la femme, la famille et les tissus. » Un grand partage matériel et symbolique du monde. Le dur pour les hommes ; le mou pour les femmes.

Usines

Le textile a été le grand secteur d'emploi des femmes, dans les usines et les ateliers. Elles sont entrées en masse dans les filatures et les tissages de la première révolution industrielle, à Manchester, à Roubaix, à Mulhouse, où, en 1838, le docteur Villermé les voit en tristes cortèges à l'entrée des fabriques, souvent escortées de leurs enfants. Des traits identiques caractérisent leur travail usinier. Il est temporaire : les ouvrières ne passent pas toute leur vie à l'usine ; elles y entrent jeunes, voire très jeunes, dès douze ou treize ans, y restent jusqu'à leur mariage ou à la naissance de leur premier enfant; quitte à y revenir plus tard, quand les enfants sont élevés, et, au besoin, avec eux. C'est donc un travail cyclique, sans perspective de carrière. La jeunesse des ouvrières éclate sur les cartes postales de sorties d'usine qui, au début du XXᵉ siècle, ont été un des premiers usages ouvriers de la photographie.

En second lieu, c'est un travail peu qualifié, monotone, réduit à des gestes simples et répétitifs, mais dont les cadences s'accélèrent de plus en plus: on passe de la surveillance de un à deux, puis plusieurs métiers. Les machines sont mal protégées, à l'air libre, et les accidents – doigts, mains coupés – sont fréquents. Les journées sont très longues: jusqu'à quatorze heures dans les débuts de l'industrialisation, dix heures autour de 1900. Peu de pauses. Les locaux sont inconfortables, mal aérés, mal chauffés ou surchauffés, sans espaces libres: pas de réfectoires, les ouvrières mangent leur gamelle sur place entre les métiers graisseux; pas de vestiaires; aller aux toilettes est un problème. Les ouvrières sont toujours soupçonnées d'y fumer une cigarette, de bavarder et d'y perdre leur temps. La discipline est sévère; les amendes pour retard, absence ou malfaçons, récurrentes, réduisent encore les maigres salaires. C'est aussi un travail contraint. Contremaîtres et contrôleurs se croient tout permis avec ces jeunesses. Le harcèlement sexuel fait partie des motifs de grève.

Les grèves sont nombreuses dans le textile, mais les ouvrières les suivent plus qu'elles ne les mènent. Elles sont peu ou pas syndiquées et on ne les y incite pas tellement. Excepté dans les usines de soie du sud-est de la France, ces internats-couvents dont les jeunes femmes supportent de plus en plus mal la clôture. On y voit de grandes grèves au début du XXᵉ siècle, avec de belles figures de « meneuses » telle Lucie Baud qui, fait rare, a laissé une brève autobiographie[1]. Les femmes sont nombreuses dans les industries alimentaires, chimiques. Les manufactures de tabac sont très recherchées en raison du statut garanti par l'État (relative sécurité sociale, retraites) : les femmes y accomplissent de véritables carrières, s'y recrutent de mère en fille et ont un taux de syndicalisation exceptionnel. En revanche, les femmes sont rares dans la métallurgie, la construction mécanique, métiers virils plus qualifiés. Dans l'imprimerie, les ouvriers s'opposent même à leur introduction, considérée comme dévalorisante. Les métiers du Livre sont nobles, donc masculins.

La Première Guerre mondiale change les choses : en France et en Angleterre, les femmes remplacent à l'arrière les hommes, mobilisés au front. L'arrivée massive des « munitionnettes » (environ trois cent mille, en France) oblige les usines à accélérer la division du travail et à réorganiser leur espace, avec création de chambres d'allaitement et introduction de surintendantes d'usine dont les rapports constituent un précieux témoignage sur les *femmes en usine*[2].

C'est un processus irréversible, qui se poursuit entre les deux guerres, dans les usines automobiles taylorisées et sur les chaînes de montage. Chez Citroën, Simone Weil s'embauche sans tellement de difficulté. Les ouvrières se banalisent. Elles poursuivent des carrières plus longues, à peine interrompues par les congés de maternité que la législation commence à protéger. C'est là qu'elles vivent le Front populaire. On les voit nombreuses dans les manifestations avec leurs cheveux courts. Elles participent aux occupations d'usine, gèrent les can-

1. Michelle Perrot, « Le témoignage de Lucie Baud, ouvrière en soie », *Le Mouvement social*, n° 105, octobre-novembre 1978, p. 133-138.
2. Annie Fourcaut, *Femmes à l'usine dans l'entre-deux-guerres*, Paris, Maspero, 1982. Bertie Albrecht fut surintendante.

tines et dansent dans les bals. Quelques-unes s'enhardissent jusqu'à prendre la parole : des photos les montrent haranguant leurs camarades.

Après la Seconde Guerre mondiale, de nouvelles industries – électromécanique, électronique – absorbent une main-d'œuvre féminine issue d'un enseignement professionnel non adapté. Ainsi Moulinex, dont le presse-purée «libère la femme», développe ses usines en basse Normandie. Quand les usines ferment, trente ans plus tard, c'est le drame pour ces ouvrières qui n'ont pas d'autres qualifications. Franck Magloire a aidé sa mère à raconter son histoire, dans *Ouvrière*[1], rare témoignage sur la vie de travail, les espoirs et les déceptions des femmes des années 1950-1980. Est-ce la fin des ouvrières ? Sûrement pas à l'échelle du monde. Mais ce n'est plus, dans nos pays, l'avenir des filles du peuple.

Ouvrières de la couture

Dans les années 1950, les jeunes filles étaient encore nombreuses à préparer dans l'enseignement professionnel un CAP de couture flou qui ne leur servait plus à rien, sinon à développer une habileté manuelle très prisée dans les usines de montage dont je viens de parler. On vantait leur doigté, comme si c'était une aptitude naturelle. Les fameuses «qualités innées» des femmes recouvrent en fait des qualifications acquises, résultats d'apprentissages patients et peu formalisés. Ce processus est au cœur de la fameuse «sous-qualification» féminine, prétexte à leur moindre rémunération. Des premières dactylos, on disait

---

1. Franck Magloire, *Ouvrière*, La Tour-d'Aigues, L'Aube, 2003 ; voir aussi le roman autobiographique de Lise van der Wielen, *Lise du plat pays*, présenté par Françoise Cribier, Lille, Presses universitaires, 1983.

aussi que le piano les avait prédisposées à la machine à écrire. En somme, elles ne faisaient que changer de clavier.

La *couture* a été un immense vivier d'emplois, de métiers, de qualifications pour les femmes, et cela durant des siècles. C'est lié à l'importance du vêtement et du linge dans notre culture, à ce stade du développement des sociétés occidentales. Le luxe, à la cour, à la ville, se traduit par jabots de dentelle, parements de soie et passementerie. La première révolution industrielle est celle du textile. Le XIXe siècle surenchérit. Il est le grand siècle du linge, de la lingerie et des dessous féminins, de la mode. Dans leur sillage se développent toutes sortes de métiers : lingères, chemisières, passementières, corsetières, culottières, fleuristes-plumassières, modistes, brodeuses, avec des dizaines de spécialités différentes. Sans compter tout le secteur d'entretien du linge, où œuvrent blanchisseuses et repasseuses, en gros, en fin. Peut-être les trois quarts des emplois féminins à Paris. Chaque ville a son atelier de couture, chaque bourgade a sa couturière : personne importante, confidente des femmes, médiatrice entre la capitale et la province, où les «modes de Paris» font la loi. À Ouarzazate, au Maroc, il y a vingt-cinq ans, on pouvait voir une boutique à l'enseigne «Au bonheur des dames». Après la décolonisation et aux limites du désert.

Des filles, on dit qu'elles sont nées avec «une aiguille entre les doigts». En réalité, elles ont toutes appris la couture : auprès de leur mère, dans les ouvroirs des religieuses. Auprès d'une couturière de leur village ou de leur petite ville. Quand elles sont habiles, après un apprentissage en province, elles viennent s'embaucher à Paris, et, de maison en maison, améliorent leur position. Les frères Bonneff ont décrit la dure condition des ouvrières de la couture parisienne. Roger Convard, fils d'une fleuriste-plumassière, a reconstitué la vie de sa mère. Jeanne Bouvier, Marguerite Audoux[1] ont raconté leur itinéraire. Voici, pour une fois, un travail féminin bien documenté. Ce qui n'empêche pas des représentations contradictoires, oscillant entre misérabilisme et idéalisation des grisettes, des midinettes (celles qui se contentent d'une *dînette à midi*) et autres cousettes.

Voici l'atelier de Marie-Claire, décrit par Marguerite Audoux. C'est un atelier familial, non loin de Montparnasse, dirigé par un couple de brodeurs. Les ouvrières sont jeunes, venues de toutes les provinces. Elles habitent de petites chambres sous les toits, font souvent un second métier, ont des vies matérielles et sentimentales difficiles, mais assez libres. Parmi elles, beaucoup de filles «séduites et abandonnées», restées en rade avec des naissances non désirées. À l'atelier, mortes saisons (l'été) alternent avec des périodes de presse (automne-hiver) : pour satisfaire les commandes des maisons et les caprices des clientes, il faut faire des veillées, qui durent parfois toute la nuit, à coups de café, et même d'opium. La vie d'atelier est pourtant assez gaie. Les ouvrières ont conscience de faire un «beau métier» ; elles se racontent leurs aventures, chantent volontiers. Mais l'atelier se mécanise pour répondre aux rendements. Après la mort du patron, sa veuve ne parvient pas à soutenir le rythme et la concurrence des grandes maisons de confection.

Celles-ci font appel directement au travail à domicile des ouvrières isolées. Ces dernières achètent à crédit des machines Singer et cousent des pièces de chemise qu'elles portent chaque semaine à l'atelier d'assemblage. On les voit, le matin dans l'om-

---

1. Léon et Maurice Bonneff, *La Vie tragique des travailleurs. Enquêtes sur la condition économique et morale des ouvriers et ouvrières d'industrie*, Paris, Rouff, 1908 ; Jeanne Bouvier, *Lingeries et lingères*, Niort, Imprimerie Saint-Denis, 1928 ; Marguerite Audoux, *L'Atelier de Marie-Claire* (1920), Paris, Grasset, coll. «Les cahiers rouges», 1987. Le récit de Roger Convard est inédit.

nibus, finir leurs ourlets. Les journées du *sweating system* s'allongent sans limites. Sédentaires, les ouvrières se nourrissent mal : la « côtelette de la couturière », c'est un morceau de fromage de Brie. La tuberculose les décime. Les médecins s'en inquiètent. Les féministes aussi. Certaines – Mme Henriette Brunhes-Delamarre – organisent une Ligue sociale d'acheteurs qui incite les clientes fortunées à la prévoyance et à la patience pour limiter la « presse » sur les ouvrières. D'autres – Marguerite Durand, Jeanne Bouvier – créent un Office du travail féminin (1907) qui mène des enquêtes précises et propose une loi pour la fixation de conventions collectives. Elle sera votée en 1915, et c'est la première du genre, une innovation juridique.

Les usines de guerre offrent d'autres possibilités. Le travail à domicile n'a plus la cote. Il ne s'en relèvera pas. Les couturières non plus. Pour le meilleur et pour le pire, elles deviennent des ouvrières. Ou des dactylos.

Les nouveaux métiers du tertiaire : employées, institutrices, infirmières

Aujourd'hui, le tertiaire est le secteur d'emploi croissant pour tous, et notamment pour les femmes, qui y travaillent pour les trois quarts d'entre elles. La plupart des emplois qu'elles exercent sont marqués par la persistance d'un caractère domestique et féminin : place du corps et des apparences ; rôle des qualités dites féminines, au premier rang desquelles le dévouement, la serviabilité, le sourire, etc. Du moins, c'était le cas jusque dans les années 1980-1990. Depuis, la révolution informatique a changé la donne et modifié la répartition sexuelle des emplois : le travail est plus technique, plus solitaire, plus masculin. Plus égalitaire ? C'est à voir.

Parcourons l'éventail, très large, des « métiers » tertiaires, ceux dont on dit justement qu'ils sont « bien pour une femme ».

Employées

Les femmes ont été depuis très longtemps employées de commerce, dans les boutiques, avec ou en dehors de la famille ; ou serveuses dans les restaurants et les auberges, non sans suspicion de prostitution. Ces lieux publics n'ont pas bonne réputation.

La nouveauté du XIXe siècle, ce furent les *grands magasins*. Au départ, du reste, les employés étaient des hommes. Sous le second Empire, ils firent même grève contre l'emploi des femmes, jugé dévalorisant. Ils devinrent chefs de rayon, encadrant les femmes, leurs subordonnées, selon un processus classique de segmentation qui limite ou annihile la concurrence des sexes. Les règlements étaient sévères : les vendeuses devaient être célibataires, disciplinées, ne jamais s'asseoir pendant les longues journées de présence, jusqu'à la loi des sièges, au début du XXe siècle, les y autorisant. Les salaires étaient médiocres et certains directeurs conseillaient *mezzo voce* aux jeunes recrues de prendre un protecteur. Pourtant, l'attrait d'un métier propre dans un local chauffé, la séduction du luxe qu'a décrits Zola (*Au bonheur des dames*) faisaient affluer les candidatures et il fallait être recommandée pour être retenue. Rapidement, la profession se féminise et s'organise. En 1936, les femmes, devenues majoritaires, occupent les grands magasins. Elles y couchent même et c'est évidemment le prétexte à plaisanteries plus ou moins égrillardes. Aujourd'hui, la caissière de supermarché figure un des emplois féminins types.

Les *employées de bureau* ont été plus tardives. Au XIXᵉ siècle, des hommes remplissaient les fonctions de copistes, comptables, secrétaires, férus de leur instruction, jaloux de leurs prérogatives. Balzac, Maupassant, Feydeau ont décrit ces « ronds-de-cuir » et leurs prétentions. Ils firent grise mine à l'entrée des femmes, surtout dans les ministères et les organismes publics. Dans la Nièvre, par exemple, les employés de l'administration préfectorale refusèrent jusqu'en 1930 l'introduction de machines à écrire, de peur de devoir admettre des dames dactylographes[1].

En effet, mécanisation et féminisation marchaient de pair. « Vous ne pouvez plus doter vos filles ? Envoyez-les à l'École Pigier », pouvait-on lire sur des affiches publicitaires. Et le message passait très bien auprès d'une petite et moyenne bourgeoisie désargentée, en quête d'emplois convenables et propres pour ses filles, surtout après la Première Guerre mondiale.

Le service des Postes s'y prêtait. À la campagne, on confiait des bureaux à des dames, veuves d'officiers ou de fonctionnaires. Ces « receveuses pot-au-feu » timbraient les lettres en tricotant. En ville, les « demoiselles des Postes » trônaient de l'autre côté du comptoir qui les protégeait de tout contact avec le public. On les affecta systématiquement au téléphone et Proust a chanté le charme de leurs voix. Les hommes ne firent pas obstacle à leur emploi parce qu'ils obtinrent des reclassements avantageux. Selon un processus assez fréquent et qui montre que les femmes n'étaient pas nécessairement concurrentes des hommes.

Autre secteur d'emploi : les soins du corps malade, jusque-là confiés aux religieuses des hôpitaux et des hospices. C'est la guerre de Crimée, au milieu des années 1850, qui change la

---

1. Guy Thuillier, *Pour une histoire du quotidien au XIXᵉ siècle en Nivernais*, Paris, EHESS, 1977, p. 191.

donne. La Britannique Florence Nightingale organise un service infirmier pour les armées, très éprouvées par les combats. Le recrutement et la discipline sont sévères. Le *nursing* à l'anglaise fait appel à la classe moyenne et repose sur la qualification, avec des salaires acceptables.

Ce n'est pas la voie suivie en France. Dans les années 1880, le docteur Bourneville – un radical – entreprend la laïcisation des hôpitaux parisiens. Il opte pour le modèle des filles de salle, peu qualifiées, auxiliaires des médecins. Mal payées, jeunes, célibataires, elles sont astreintes au logement sur place et surveillées. Le modèle de la religieuse pèse sur elles. De nombreuses Bretonnes s'embauchèrent, préférant le service domestique à l'hôpital plutôt que dans les familles bourgeoises. Par la suite se développa un enseignement infirmier libre, dans des écoles privées, notamment sous l'impulsion de protestantes qui s'inspiraient de Florence Nightingale. Ainsi à l'école infirmière de Bordeaux. Il fallait obtenir une formation et des diplômes, clef de qualifications reconnues et de meilleurs salaires ; passer du service domestique à un métier véritable, alliant connaissances médicales et savoirs du corps[1].

Quant à devenir médecin, ce fut une autre affaire. Les hommes résistaient à l'entrée des femmes. Les premières étudiantes furent des Russes et des Polonaises, juives pour la plupart, qui avaient commencé leurs études dans les universités de l'Est. Chassées par les pogromes de la fin du XIXᵉ siècle, elles voulaient poursuivre leurs études à Londres, Zurich ou Paris. Elles choisirent souvent la gynécologie. Elles étaient quelques centaines en France avant 1914. Ainsi Blanche Edwards-Pilliet ou la *doctoresse* Madeleine

---

1. Je voudrais rendre ici hommage à Marie-Françoise Collière de l'École internationale d'enseignement infirmier supérieur de Lyon (1965-1994), qui a développé ce point de vue.

Pelletier, la première femme à passer le concours de l'internat de psychiatrie : elle s'habillait en homme et fumait le cigare, mais voulait féminiser le nom professionnel. Favorable à la contraception et à l'avortement, elle fut poursuivie et internée en 1938 dans un asile psychiatrique où elle mourut en 1939.

Toutes les femmes médecins n'eurent heureusement pas ce sort tragique. La profession est aujourd'hui largement féminisée. Même dans ses bastions jadis prestigieux, comme la chirurgie. Ou l'anesthésie.

On pourrait raconter l'histoire parallèle des professions du droit. Il fallut en 1899 une loi pour autoriser Jeanne Chauvin à plaider, tant l'exercice de la parole publique du métier d'avocat paraissait inadmissible pour une femme. C'était un événement et *Le Petit Journal illustré* consacra sa « une », le 26 décembre 1900, à la prestation de serment de Sophie Balachowsky-Petit, sa collègue. Entre 1900 et 1917, il y eut dix-huit avocates : la progression était faible. Mais les avocates – Maria Vérone, Suzanne Grinberg, Yvonne Netter – jouèrent un rôle actif dans le féminisme de l'époque, pour l'égalité des droits, notamment celui de suffrage. Il fallut une autre loi, en 1946 (loi du 11 avril), pour que la magistrature soit ouverte aux femmes, dans la France de la Libération. Aujourd'hui, les femmes y représentent près de la moitié des effectifs, sans que leur présence ait bouleversé l'exercice de la profession. Les fonctions de présidentes de chambre (13 % de femmes) et de procureurs (11,5 % en 1997) leur résistent toujours[1].

---

1. Anne Boigeol, « De la difficile entrée des femmes dans la magistrature à la féminisation du corps », *in* Christine Bard, Frédéric Chauvaud, Michelle Perrot, Jacques G. Petit (dir.), *Femmes et justice pénale, XIXᵉ-XXᵉ siècles*, Rennes, Presses universitaires, 2002.

Institutrices et professeurs

Rebecca Rogers[1] a raconté les mutations des professions de l'enseignement depuis deux siècles. Aujourd'hui, les femmes représentent 98 % des assistantes maternelles, 78 % du premier degré, 56,7 % du secondaire et 34 % du supérieur (seulement 16 % des professeurs). Représentation donc très différente selon les niveaux. La féminisation est un processus complexe qui tient compte de l'âge des enfants et de la conception que l'on se fait de leur apprentissage. Dès qu'il s'agit d'instruction, un homme convient mieux : les « hussards noirs » de la République ne pouvaient être que mâles. Pourtant, la loi Ferry en instaurant l'obligation scolaire pour les deux sexes, mais dans des écoles si possible distinctes, ouvrit largement le recrutement féminin : il fallait des femmes pour les filles et pour les petits. Il y eut des écoles normales d'institutrices et ce métier devint pour les filles de la petite bourgeoisie et des classes populaires, rurales et ouvrières, une figure d'identité, une digne ambition. Pourtant, la condition d'institutrice est dure. Léon Frappié en a donné un portrait assez misérabiliste dans *L'Institutrice de province* (1897). Souvent célibataire, moins payée que les hommes, elle est fréquemment nommée dans des postes perdus, en butte à la méfiance, confrontée au soupçon et à la solitude, surtout au moment de la séparation des Églises et de l'État. Dans certaines régions, comme la Bretagne, on ne pardonne pas aux femmes d'être contre les prêtres, elles qui devraient être leurs alliées « naturelles ».

---

1. Rebecca Rogers (dir.), *La Mixité dans l'éducation. Enjeux passés et présents*, Paris, ENS éditions, 2004, préface de Geneviève Fraisse.

Il n'empêche. C'est un milieu relativement égalitaire, que Jacques et Mona Ozouf ont décrit[1]. La première profession de la fonction publique où, en 1920, la loi oblige à l'égalité salariale. Les couples d'instituteurs sont d'ailleurs de plus en plus fréquents, modèle du couple républicain, tel que Zola l'esquisse dans *Vérité*, non sans paternalisme : le mari représente la lumière, confronté à la superstition de son épouse qu'il doit convertir à la République. Les institutrices sont depuis longtemps des femmes engagées : pour l'éducation des filles (Victoire Tinayre[2]), pour le socialisme, voire pour la Révolution comme Louise Michel. Sous la IIIe République, elles militent dans le syndicalisme (Marie Guillot). Elles fournissent des cadres au féminisme. Certaines prennent parti pour la contraception et l'avortement et affrontent les tribunaux. Les institutrices sont les premières intellectuelles.

Plus même que les professeures. Celles-ci étaient au départ moins nombreuses, plus individualistes, plus solitaires. Exposées au mépris des hommes qui les considèrent comme des intruses, des « cervelines », comme l'écrivait la romancière catholique Colette Yver : celles qu'on n'épouse pas et qui, par conséquent, n'accomplissent pas leur destin de femmes. Leurs grandes écoles, comme Sèvres ou Fontenay, ont beau avoir des directrices prestigieuses, elles n'ont pas la même réputation que la Rue d'Ulm. Les étudiantes passent la plupart du temps des agrégations séparées et moins cotées. Sauf en philosophie (Simone de Beauvoir en 1924). Le lycée est leur seul débouché. Les lycées de jeunes filles ressemblent à des couvents laïques, austères et gris. La vie

1. Jacques et Mona Ozouf, *La République des instituteurs*, Paris, Gallimard, 1992.
2. Claude Schkolnyk, *Victoire Tinayre (1831-1895). Du socialisme utopique au positivisme prolétaire*, Paris, L'Harmattan, 2000.

des jeunes professeures n'est pas toujours très gaie: Marguerite Aron, Jeanne Galzy ont laissé des souvenirs plutôt mélancoliques.

À l'université, les femmes restent des «indésirables». Surtout à Paris. La Sorbonne refuse, dans les années 1930, d'élire la germaniste Geneviève Bianquis, supérieure pourtant à son concurrent, sous prétexte que la voix d'une femme ne saurait dominer un amphithéâtre d'étudiants. La première femme nommée en Sorbonne fut en sciences Marie Curie dès avant 1914, et, en lettres, Marie-Jeanne Dury en 1947.

Après la Seconde Guerre mondiale, la situation change radicalement. Et l'enseignement est, à présent, une profession largement féminisée; celle dont on dit qu'elle est «bien pour une femme». Ce qui n'est pas nécessairement bon signe. Une relative parité sexuelle est une garantie d'égalité.

Ainsi les frontières sexuelles des métiers se déplacent dans un secteur tertiaire en expansion qui dessine le territoire des emplois d'aujourd'hui. Le fait que les femmes y soient présentes indique leur progrès dans la conquête des savoirs. Elles sont loin pourtant d'y être égales dans la hiérarchie des responsabilités et des pouvoirs, y compris dans la fonction publique.

Comédiennes

Comédienne: est-ce un métier «bien pour une femme»?

Oui, au premier abord. Les femmes savent exprimer des émotions, simuler, paraître. Interpréter, prêter leur voix et leur corps à d'autres. Se mettre dans la peau d'une autre. Être une image et une voix. Ce serait l'essence même d'une féminité vouée aux apparences.

Non, d'autre part. Parce que, comme l'écrit Rousseau à d'Alembert, «une femme qui se montre se déshonore [...] L'audace d'une femme est le signe assuré de sa honte». Être actrice, c'est manquer à la pudeur, entrer dans le cercle douteux de la galanterie, voire de la prostitution. Et la comtesse de Ségur met en garde les petites filles qui aiment tant jouer la comédie: «Mlle Yolande, mal élevée, sans esprit, sans cœur et sans religion, se fit actrice quand elle fut grande et mourut à l'hôpital.» Enfants, prenez garde!

Au vrai, le christianisme n'avait pas été tendre avec les comédiens, longtemps excommuniés. Il faut en France attendre la pression de la République et le concile de Soissons, en 1849, pour qu'ils ne le soient plus *de facto*: «Quant aux comédiens et aux acteurs, nous ne les mettons pas au nombre des infâmes et des excommuniés.» Toutefois, s'ils jouent des pièces impies ou obscènes, on leur refusera les sacrements. Ils sont en marge et sous contrôle. Les monarques les utilisent et s'en méfient. Y compris Napoléon qui appréciait le théâtre et renforça le rôle des conservatoires. Mais c'est seulement la Constitution de 1852 qui reconnaît les comédiens comme des citoyens ordinaires. C'est dire leur marginalité. Elle touchait encore plus les femmes. Le vocabulaire est du reste significatif: une comédienne est une simulatrice, une femme à histoires, et la danseuse représente le luxe, le superflu qu'un homme riche est susceptible de s'offrir. En Grande-Bretagne, où Shakespeare incarne le génie national, c'était différent: les comédiens peuvent être anoblis et les actrices sont des *ladies*. En France, dans les pays latins, plane toujours l'ombre de la prostituée. Pour Zola, la blonde et pulpeuse Nana, actrice des Variétés, théâtre des boulevards, courtisée et courtisane, incarne la déchéance des femmes et la décadence des mœurs, bien qu'elle soit une bonne mère. Elle finit aussi mal que la «Mlle Yolande» de la comtesse de Ségur.

Pourtant, le XIXᵉ siècle marque une intégration progressive des comédiennes, actrices, chanteuses et danseuses dans la société. C'est ce processus que décrit Anne Martin-Fugier dans son livre consacré à la condition des actrices et à leur professionnalisation[1]. Les actrices venaient la plupart du temps de milieux populaires et pauvres. Beaucoup étaient enfants de la balle, comme Rachel, fille d'un colporteur juif allemand, épris de musique, qui la confia à un professeur du Conservatoire. Les « petits rats » de l'Opéra étaient placés par leurs mères sous la tutelle de « mères d'Opéra » qui leur trouvaient des « protecteurs ». Sarah Bernhardt ne voulait pas devenir comédienne, mais sa mère la pousse aussi vers le Conservatoire ; celui-ci était une garantie de qualification et de reconnaissance. Lorsqu'on en sortait avec un « prix », on pouvait espérer entrer à la Comédie-Française, sommet de la hiérarchie des théâtres. De celles qui sortaient sans mention, on disait que c'était « du déchet pour la province ».

Tout le monde n'avait pas même cette chance. La plupart faisaient leur apprentissage sur le tas et tentaient d'améliorer leur position en tournant d'une scène à l'autre. Bien des choses comptaient : leur talent, certes, mais plus encore leur beauté, leurs relations, les faveurs qu'elles savaient accorder. Un succès et, surtout, une bonne critique (le rôle des journaux était capital) pouvaient mettre une actrice en orbite. Les « débuts » étaient essentiels.

Les conditions de vie étaient dures et les contrats, draconiens. Voici celui qu'une jeune comédienne souscrit à Paris en 1914. Elle s'engage à « jouer, chanter, danser ou figurer à la première réquisition [du directeur] – en tout temps, à toute heure, en tous

1. Anne Martin-Fugier, *Comédienne. De Mlle Mars à Sarah Bernhardt*, Paris, Seuil, 2001.

lieux, même en province ou à l'étranger, plusieurs fois et en divers théâtres le même jour, en matinée et en soirée – tous les rôles qui lui seront attribués, sans distinction de genre, ni d'emploi». Elle doit apprendre cinquante lignes par jour, se trouver au théâtre tous les jours sans exception, même si elle ne joue pas, une demi-heure avant le lever de rideau. Tout cela pour 200 francs par mois qui ne lui seront versés que si elle joue plus d'un acte dans la même représentation. Si elle tombe malade, elle n'est pas payée. J'en passe. Ceci encore : elle est obligée d'habiter à Paris, à une distance d'un quart d'heure au plus du théâtre. C'est dire sa dépendance, et la médiocrité de sa condition. Compensation : une forte sociabilité. Voire une vie de famille intense. Les actrices ont des amants, mais aussi des liaisons de longue durée. Elles ont des enfants et «sont presque toutes des mères d'une tendresse ineffable et d'un courage héroïque. […] Nulle part, les liens du sang ne sont plus étroitement serrés que chez les artistes de théâtre», écrit George Sand, qui voyait dans ces familles recomposées le modèle enviable de la vie de famille.

Les tournées en province étaient harassantes. Marie Dorval évoque «une vie d'auberge toujours de grand chemin, de fatigues, de désordre, de caisses, de costumes au travers de ma chambre, ces journées passées en répétitions odieuses, avec des acteurs stupides». Et Marie est une vedette. C'était pire pour les autres. Petits hôtels minables, théâtres malpropres, coulisses sans hygiène, dépourvues d'aération et de chauffage. De quoi attraper la crève, ce qui arrivait souvent, même pour les plus grandes. Rachel est morte de tuberculose peu après son retour d'une tournée triomphale aux États-Unis (à Nice en 1857). La vie d'actrice est, selon Balzac, «une vie de cheval de manège». Elle s'est sans doute améliorée au cours du siècle. Colette, dans *La Vagabonde*, évoque ses tournées, la camaraderie, mais aussi la solitude appréciable de la chambre d'hôtel, avec un certain plaisir. Elle voit dans son métier un moyen d'indépendance.

Mais la concurrence est très forte et le milieu, très hiérarchisé. Il vaut mieux être cantatrice qu'actrice, tragédienne que comédienne, danseuse étoile que figurante de ballet. Il y a une distance considérable entre les stars de la scène – Marie Dorval, Julia Bartet, Pauline Viardot, Rachel, Sarah et même Yvette Guilbert – et les chanteuses de caf'conc'. Pourtant, ces stars ont contribué à modifier la pratique et le prestige du métier. Rachel avait une haute conception de son jeu. Elle a durablement marqué ses rôles, et inspiré l'art[1].

Sarah Bernhardt, surtout, a changé le statut de l'actrice. Son succès lui permit d'être exigeante, non seulement financièrement, mais aussi pour le quotidien. Elle fit de sa loge un lieu agréable et veilla au confort du théâtre qu'elle créa place du Châtelet, aujourd'hui « Théâtre de la Ville ». Elle refusait la galanterie dont elle percevait le revers, la domination masculine. Elle exigeait considération et respect. Elle se disait féministe, mais non suffragette, soucieuse surtout d'égalité salariale et du droit de recherche en paternité. Elle fut aussi une femme engagée pour Dreyfus et pour Zola.

Elle n'est sans doute pas une « actrice moderne ». Elle n'aimait pas les « nordistes », Ibsen, Strindberg, Tchekhov, qu'elle n'interpréta pas. Elle préférait *Ruy Blas* et surtout le théâtre d'Edmond Rostand. Elle fut « la Princesse lointaine » et, à cinquante-six ans, incarna l'Aiglon, habillée par Poiret. Ce rôle, qu'elle joua plus d'un millier de fois, fit d'elle une vedette populaire, avec des dizaines de milliers de cartes postales qui la représentaient. Son

---

1. Comme l'a montré l'exposition qui lui a été consacrée en 2004 au musée d'Art et d'Histoire du judaïsme.

physique impressionnait : elle incarnait *la femme nouvelle* du *modern style*. Son mode de vie fascinait : ses tournées prestigieuses, en Europe et en Amérique, avec sa suite extravagante (trente-deux personnes et quarante-deux malles, en 1880-1881, aux États-Unis). « J'aime passionnément cette vie d'aventure », disait-elle. Son train de vie faisait rêver : appartements somptueux, chambre submergée de bibelots et de peaux de bêtes, qu'elle affectionnait. Son courage aussi. « Ne vous arrêtez jamais, sinon c'est la mort », disait celle dont la devise était « Quand même » et qui continua de jouer *L'Aiglon* en dépit de son amputation d'une jambe. Elle avait un côté moralisateur et s'en vantait : « Je suis la doyenne militante d'un art moralisateur. Je suis la prêtresse fidèle de la poésie », dit-elle en 1896 lors de la fête qui lui fut consacrée. Son lyrisme patriotique atteignit des sommets durant la Grande Guerre. Elle se fit le chantre de la Nation.

Lorsqu'elle mourut en 1923, on lui fit, le 23 mars, des obsèques solennelles au Père-Lachaise. On avait même parlé du Panthéon. Des dizaines de milliers de personnes suivirent son cercueil à travers Paris, les représentants de la République en tête. Étrange contraste avec l'enterrement quasiment clandestin d'Adrienne Lecouvreur, deux siècles auparavant (20 mars 1730). Cette illustre comédienne, amie de Voltaire, à laquelle le clergé refusa la sépulture chrétienne, fut inhumée nuitamment sur les berges de la Seine, à la hauteur du quai d'Orsay. Anne Martin-Fugier compare à bon droit ces deux enterrements où se manifeste un changement dans la condition des comédiennes.

Elles sont mieux considérées, même dans les milieux huppés. La princesse Mathilde n'hésite pas à les recevoir. Cécile Sorel, dans les années 1920, accueille chez elle le gratin de la République. Surtout, être comédienne devient un métier acceptable et respectable. Eleanor Marx, la fille de Karl Marx, se fit comé-

dienne et joua la Nora de *La Maison de poupée*. Mais c'est Eleanor Marx et à Londres, ville plus évoluée. La poétesse Marceline
Desbordes-Valmore, la journaliste et féministe Marguerite
Durand, l'orientaliste Alexandra David-Neel, Colette… ont été
actrices dans les débuts de leur carrière. Elles étaient toutes des
femmes anticonformistes, distantes du modèle académique de
la féminité. Chacune a contribué à faire de la situation d'actrice
une profession à part entière, même si les familles manifestent
encore quelque réticence. Catherine Deneuve, Isabelle Huppert,
Jeanne Balibar, qui a choisi le métier d'actrice après être entrée à
l'École normale supérieure, sont d'une certaine manière leurs
descendantes.

On pourrait en dire autant des danseuses. À ce propos, je voudrais signaler l'existence d'un tout nouveau Centre national de la
danse (1, rue Victor-Hugo, Pantin). Le bâtiment a été réhabilité
par deux femmes architectes qui ont, pour cette œuvre, reçu
«l'Équerre d'argent» en 2003, la plus haute récompense en
matière d'architecture. La directrice, Claire Rousier, a tenu à inau-
gurer le centre par une exposition sur «la construction de la féminité dans la danse (XVIIe-XVIIIe)», qui appelle évidemment des
prolongements. L'évolution des rapports masculins/féminins s'y
révèle particulièrement intéressante. La danse fut d'abord affaire
d'hommes ; marginales et précaires, les femmes accompagnaient
les jongleurs et les acrobates. L'image de Salomé, dansant pour
obtenir la tête de Jean Baptiste, incarne la noirceur féminine.
«Chaque fois qu'on danse, on coupe la tête de Jean Baptiste»,
écrit l'écrivain italien Bernardino da Feltre. Puis elles s'affirmèrent
dans les figures de la danse au XVIIIe siècle. Et l'on peut imaginer
que le rôle du ballet romantique, qui va au-delà de cette exposition, fut crucial dans l'idéalisation du corps féminin et l'avènement de la diva. Il s'opère alors un renversement des rôles sexuels.

Il y eut alors une connotation féminine de la danse et l'idée que c'est inconvenant pour un homme de danser. On y vit un signe d'efféminement, et les familles populaires surtout, où les stéréotypes sexuels sont les plus forts, résistaient au désir de leur fils de devenir danseur, comme le raconte le beau film anglais, *Billy Elliot*.

Sous l'influence de chorégraphes comme Marta Graham ou Merce Cunningham, la danse postmoderne dissout les anciennes hiérarchies et brouille la perception du genre[1].

Ainsi, sur la scène du théâtre, se jouent doublement les rapports de sexes.

---

1. Annie Suquet, « Scènes. Le corps dansant : un laboratoire de la perception », *in* Jean-Jacques Courtine (dir.), *Histoire du corps*, t. 3, *Les Mutations du regard. Le XXᵉ siècle, op. cit.*, p. 393-415.

V

Femmes dans la Cité

Les femmes dans la Cité : voilà l'objet de ce dernier chapitre consacré à l'histoire des femmes. Les femmes aux prises avec l'espace et le temps, avec les événements, les guerres, la politique, qui leur fut si longtemps fermée. Les femmes dans l'action collective, et notamment le féminisme, si divers, forme essentielle de l'action contemporaine des femmes. Les femmes et les autres ; les femmes et le monde. Sujets que nous ne ferons qu'effleurer tant ils sont vastes et complexes.

Femmes en mouvement : migrations et voyages

D'abord, l'espace.

Au premier abord, les femmes semblent confinées. La sédentarité est une vertu féminine, un devoir des femmes liées à la terre, à la famille, au foyer. Pénélope, les Vestales figurent leurs antiques modèles, celles qui attendent et gardent. Pour Kant, la femme *est* la maison. Le droit domestique assure le triomphe de la raison ; il enracine et discipline la femme, en abolissant toute volonté de fuite[1]. Car la femme est une rebelle en puis-

---

1. Bernard Edelman, *La Maison de Kant*, Paris, Payot, 1984.

sance, une flamme dansante, qu'il faut capter, empêcher de s'échapper.

Les formes d'enfermement, de clôture des femmes sont innombrables : le gynécée, le harem, la chambre des dames du château féodal dont Jeanne Bourin a fait un roman à succès, le couvent, la maison victorienne, la maison close. Il faut protéger les femmes, cacher leur séduction. Les voiler. « Une femme en public est toujours déplacée », dit Pythagore. « Toute femme qui se montre se déshonore », écrit Rousseau à d'Alembert. Ce que l'on redoute : les femmes en public, les femmes en mouvement.

La *dissymétrie* du vocabulaire illustre ces défiances : homme public, c'est l'honneur ; femme publique, c'est la honte, fille des rues, du trottoir, de bordel. L'aventurier est le héros des temps modernes[1] ; l'aventurière, une inquiétante créature. Le soupçon pèse sur les déplacements des femmes, notamment des femmes seules. Certains hôtels, soucieux de leur respectabilité, les refusent : Flora Tristan, lors de son tour de France, en fait la pénible expérience dans le Midi. C'est pourquoi elle préconise la création de foyers pour « faire bon accueil aux femmes étrangères » (1835).

Pourtant, *elles bougent*, les femmes. Elles sortent, elles voyagent, elles migrent. Elles participent à la mobilité qui, les moyens de transport aidant, s'est emparée des populations occidentales aux XIXe et XXe siècles. Moins que les hommes sans doute, mais tout de même. D'abord, elles sont partie prenante de l'exode rural. Avant de faire venir leurs épouses à Paris, les maçons limousins emmènent les femmes de leur village pour leur faire la cuisine. Elles cantinent, rue de Lappe, dans les logements qu'ils occupent. Les familles paysannes placent leurs filles comme ser-

1. Sylvain Venayre, *La Gloire de l'aventure. Genèse d'une mystique moderne, 1850-1940*, Paris, Aubier, 2002.

vantes, ouvrières ou domestiques urbaines. Placées, elles sont sous
contrôle. Mais elles s'échappent, changent de place, conquièrent
leur liberté. Chambrières ou bonnes, elles quittent leur maîtresse.
Couturières, elles changent d'atelier. Les cousettes de *L'Atelier de
Marie-Claire* pratiquent un *turnover* très masculin. Jeanne Bouvier, couturière, montée à Paris avec sa mère en 1879, est d'une
surprenante mobilité, tout comme Adélaïde Popp, sa consœur
d'Autriche. Hors du commun, il est vrai : l'une et l'autre, devenues syndicalistes, ont laissé des autobiographies assez exceptionnelles[1] qui donnent du mouvement et de la ville un aspect
très positif. La ville, représentée comme la perdition des filles et
des femmes, leur permet souvent de s'affranchir de tutelles familiales pesantes, d'un horizon villageois sans avenir. De connaître
de modestes ascensions sociales, d'échapper à des unions arran-
gées et de faire des mariages d'amour. La ville, c'est le risque,
l'aventure, mais aussi l'ouverture du destin. L'échappée belle.

Autre figure de migrantes du travail : les gouvernantes (*Miss,
Fräulein*, Mademoiselle…). Issues d'une bourgeoisie désargentée,
cultivée, souvent protestante, ces jeunes préceptrices ou demoiselles de compagnie, lettrées et bien élevées, que les romans présentent souvent comme des intrigantes, circulent à travers toute
l'Europe, surtout après l'échec des révolutions de 1830 et de
1848, créatrices d'un exil intellectuel et politique qui concerne
aussi les femmes. Malwida von Meysenbug en est l'illustration ;
de Hambourg, elle se rend à Londres, où elle s'occupe des filles
d'Alexandre Herzen, avant d'aller avec elles à Paris, puis en Italie,
à Florence et à Rome. Elle a laissé des *Mémoires d'une idéaliste*

---

1. Jeanne Bouvier, *Mes Mémoires ou Cinquante-neuf années d'activité
industrielle, sociale et intellectuelle d'une ouvrière (1876-1935)*, 1936, nouvelle édition par Daniel Armogathe et Maïté Albistur, Paris, Maspero, 1983 ;
Adélaïde Popp, *Journal d'une ouvrière*, Paris, Maspero, 1979.

(1869 et 1876), remarquable témoignage sur la diaspora européenne au XIXᵉ siècle.

Henriette Renan réside plusieurs années en Pologne pour gagner l'argent nécessaire aux études de son frère, Ernest. À l'inverse, les Russes viennent à Paris, comme Nina Berberova, qui amasse des trésors d'observation pour son œuvre future. Les plus mobiles, par force, sont les juives, chassées par les pogromes, et qui gagnent leur vie comme elles peuvent en poursuivant leurs études à Londres, Zurich, Paris ou New York. Ces jeunes femmes avaient des objectifs : « Je ne veux pas seulement le travail et l'argent, je veux la liberté », disait une migrante juive arrivant à New York. Les Mémoires d'Emma Goldman[1] offrent un récit exemplaire du voyage comme moyen d'émancipation, politique et personnelle.

Les migrations plus massives du XIXᵉ siècle sont d'abord sexuellement dissymétriques. Les hommes partent seuls ou en avant-garde. Les femmes les rejoignent parfois, ou jamais. L'arrivée des femmes est un signe d'émigration définitive. Et le regroupement familial progresse au XXᵉ siècle, en fonction des politiques des gouvernements. Les femmes maintiennent les traditions, la langue « maternelle », la cuisine, les habitudes de piété. En Lorraine, dans les mines et la sidérurgie, les Italiennes conservent les pratiques du Piémont. Comme les Siciliennes le font à New York dans le quartier de Little Italy. Les juives un peu partout dans le monde au sein de la diaspora. Les Portugaises, les Maghrébines et les Africaines dans la France d'aujourd'hui. À la deuxième génération, les filles sont souvent des facteurs d'intégration décisifs. Elles aspirent à l'égalité et à la modernité. Entre intérieur et extérieur, dedans et dehors, les migrantes, écartelées

---

1. *Épopée d'une anarchiste, New York 1886-Moscou 1920*, Paris, Hachette, 1979 (traduit de l'américain).

parfois entre des tensions contradictoires, jouent un rôle crucial. La Cité nationale de l'histoire de l'immigration, en voie d'installation à la porte Dorée, dans les locaux de l'ancien Musée national des arts d'Afrique et d'Océanie, devrait leur faire la place qui leur revient.

Des femmes, enfin, ont *voyagé*, à toutes les époques et pour toutes sortes de raisons. De manière moins gratuite, moins aventureuse que les hommes, parce qu'il leur fallait davantage de justifications, d'encadrement ou de soutien.

Voici quelques-unes de ces voyageuses. Natalie Z.-Davis[1] raconte l'histoire de Maria Sybilla Merian (1647-1717), protestante d'origine allemande, d'une famille très cultivée de peintres et de graveurs. Elle avait adhéré à une secte dissidente, les labadistes, à Amsterdam ; et de là, elle partit au Surinam, colonie hollandaise de Guyane, pour y observer et peindre les insectes, qui étaient sa passion d'entomologiste. «Elle vivait dans un bourdonnement ininterrompu d'insectes.» Elle publia deux livres sur les chenilles, dont les métamorphoses (1679 : *Merveilleuse transformation des chenilles et des fleurs singulières qui font leur nourriture* ; 1705 : *Métamorphose des insectes du Surinam*) surtout la fascinaient. Avec des illustrations d'une grande précision qui valurent à Maria Sybilla une solide réputation, non seulement d'artiste, mais de femme de science. Pourtant, elle n'avait pas bénéficié de grands soutiens : on doutait qu'une femme seule puisse faire quelque chose de sérieux. Natalie Z.-Davis retrace le parcours, parallèle et différent, de Marie Martin, née à Tours (1599-1672), et qui, devenue veuve, se fait religieuse chez les Ursulines. Au grand dam de son fils, qu'elle exhorte à accepter le sacrifice de sa mère, elle part évangéliser les «sauvages» de Nouvelle-France, et pour cela elle apprend l'algonquin.

1. Natalie Z.-Davis, *Juive, catholique, protestante, op. cit.*

Beaucoup de femmes furent ainsi attirées par les missions, catholiques ou protestantes, dans le sillage de l'expansion coloniale. Celles-ci légitimaient leur désir de dévouement et de voyage. Un certain nombre, au XIXe siècle, participèrent aux missions des saint-simoniens, socialistes actifs, apostoliques et relativement égalitaires[1]. Elles partaient prêcher la bonne parole en France. Dans leur sillage, Flora Tristan (1803-1844) entreprend, en 1844, un «tour de France» pour convaincre les ouvriers de s'unir, de former une «union ouvrière». Ce voyage, fait dans des conditions difficiles, fut fatal à cette voyageuse éprouvée qui avait pérégriné au Pérou et arpenté Londres, enquêtant sur la condition ouvrière[2]. Elle mourut le 14 novembre, à Bordeaux, chez Jules et Élisa Lemonnier, future fondatrice de l'enseignement professionnel des filles. Comme, soixante ans plus tard, Louise Michel, morte à Marseille au cours d'une tournée de conférences. Les voyages militants étaient une épreuve.

Le voyage de découverte était tout aussi périlleux. Il fallait braver l'opinion, avoir des moyens. Il attira au XIXe siècle un certain nombre de femmes libres, comme George Sand, par exemple, qui voyait dans le voyage un moyen d'affranchissement, jusque dans le costume: «Tant qu'il y aura de l'espace devant nous, il y aura de l'espérance», disait-elle. Elle découvrit l'Italie avec Musset, les Alpes avec Liszt et Marie d'Agoult, l'Espagne

---

1. Suzanne Voilquin, *Mémoires d'une saint-simonienne en Russie, 1839-1846*, Paris, Des femmes, 1977.

2. Flora Tristan, *Pérégrinations d'une paria* (1837), Paris, Maspero, 1979; *Promenades dans Londres* (1840), Paris, Maspero, édition de François Bédarida, 1978; *Le Tour de France*, Paris, Maspero, édition de Stéphane Michaud, 1980. Sa contemporaine, Bettina Brentano von Arnim, enquêtait sur les quartiers pauvres de Berlin. *Dies Buch gehört dem König* (*Ce livre appartient au Roi*) paraît en 1843.

avec Chopin. Son totem était l'oiseau et le voyageur, son porte-parole ; les *Lettres d'un voyageur* figurent parmi ses plus beaux textes. Elle s'inscrit dans cette longue suite de femmes voyageuses qui voulaient découvrir le monde. Le tourisme donnera plus tard à des femmes fortunées la possibilité plus paisible d'élargir leur horizon. Anglaises, Américaines hantent l'Italie et ses musées, le Bædeker à la main. Certaines familles aisées, protestantes surtout, pratiquent le *grand tour*, forme de voyage éducatif et initiatique, pour les filles comme pour les garçons : grâce à son père, Marguerite Yourcenar en a largement bénéficié et y puisa pour toujours le goût de l'ailleurs[1].

Le vrai voyage d'aventure, tel que le pratiquèrent Isabelle Eberhardt ou Alexandra David-Neel, était forcément plus rare. Isabelle était russe, fille illégitime d'une aristocrate exilée en Suisse, où elle poursuivit d'abord des études de médecine. Les chroniques de sa compatriote, Lydia Pachkov, dans *Le Tour du monde*, un illustré très lu par les femmes, lui donnent le « désir d'Orient ». L'envie de découvrir la Syrie, la Palestine, les ruines de Palmyre dont le prestige s'affirmait. Séduite par l'islam, elle se convertit. Elle part guerroyer en Afrique du Nord, aux côtés de tribus dissidentes, sous les traits de Mahmoud, jeune rebelle qui fascine Lyautey. Morte à vingt-sept ans, elle laisse une œuvre inédite, vouée aux pauvres du Maghreb, qu'Edmonde Charles-Roux a en partie publiée[2].

Alexandra David-Neel (1868-1969) était orientaliste et elle avait d'abord découvert le bouddhisme dans les bibliothèques. Elle décida de partir pour le Tibet et l'explora durant trente ans,

---

1. Marguerite Yourcenar, *Quoi ? L'Éternité*, Paris, Gallimard, 1988.
2. Edmonde Charles-Roux, *Un désir d'Orient. Jeunesse d'Isabelle Eberhardt*, Paris, Grasset, 1988.

allant de lamaserie en lamaserie, à pied, escortée de ses porteurs. Son mari était resté en France. Elle lui écrivit jusqu'à sa mort, et ses lettres composent le *Journal de voyage* qu'on a publié plus tard[1]. Elle aussi s'était convertie, au bouddhisme. Après plus de trente ans de séjour en Asie, elle finit par rentrer, en 1946, âgée de soixante-dix-huit ans, nantie d'une extraordinaire documentation, surtout photographique, qu'on peut voir aujourd'hui dans sa maison-musée de Digne.

Je pourrais multiplier les exemples, bien connus grâce aux livres de Dea Birkett et de Barbara Hogdson[2]. Étaient-elles de vraies aventurières, au sens où Henry de Monfreid l'entendait? Non, pas vraiment. Il leur fallait un objectif, une justification, une activité. Faire des fouilles archéologiques, comme Jane Dieulafoy, «la femme habillée en homme» qui, avec son mari, découvrit la fresque des archers assyriens, aujourd'hui au Louvre. Convertir, aider, enseigner, secourir, soigner… Découvrir les autres.

Entre les deux guerres, période qui marque un élargissement réel de l'espace féminin, nombre de jeunes femmes furent séduites par l'ethnographie, démarche nouvelle, donc accessible aux femmes, comme le fut au même moment la découverte de l'inconscient par les premières psychanalystes[3]. Les femmes pouvaient parler aux femmes indigènes: ainsi Denise Griaule en Afrique, Germaine Tillion au Maghreb. On leur confiait souvent l'appareil photo, la photographie étant alors un genre

---

1. Alexandra David-Neel, *Correspondance avec son mari, édition intégrale, 1904-1941*, Paris, Plon, 2000.
2. Dea Birkett, *Spinsters Abroad: Victorian Ladies Explorers*, Oxford, Blackwell, 1989; Barbara Hogdson, *Les Aventurières. Récits de femmes voyageuses*, Paris, Seuil, 2002 (traduit de l'américain).
3. Élisabeth Roudinesco, «Les premières femmes psychanalystes», *Mil-neuf-cent*, n° 16, 1998, p. 27-42.

mineur, accessoire. Elles s'en emparèrent et certaines en firent un art : telles Margaret Bourke-White ou Gisela Freund.

Bien entendu, ces femmes voyageuses étaient minoritaires. Comme elles le furent dans le « grand reportage » où elles pénétrèrent cependant dans l'entre-deux-guerres, non sans difficultés qu'analyse Marc Martin[1]. Andrée Viollis fut une des premières et des plus brillantes. Elle avait achevé ses études à Oxford et parlait parfaitement anglais et allemand. Elle fit ses premiers reportages en Irlande, puis en 1928 en Union soviétique pour *Le Petit Parisien*. Accession tardive : née en 1878, elle avait déjà cinquante ans. Par la suite, elle ira en Afghanistan, en Inde où elle interviewera Gandhi, au Japon, ainsi qu'en Espagne, durant la guerre civile. Elle conquit l'estime des gens du métier, y compris celle d'Albert Londres, qui lui rendit visite alors qu'elle était hospitalisée. Sa fille, Simone Téry, eut plus de chance. Ainsi que ses cadettes, Madeleine Jacob et Titaÿna, de son vrai nom Élisabeth Sauvy. Pour s'affirmer dans un milieu très viril (les femmes ne constituaient que 3,5 % des effectifs du journalisme), il fallait à ces femmes une totale liberté familiale, beaucoup d'audace et aussi une surqualification. Elles avaient fait des études supérieures à la majorité de leurs confrères et étaient expertes dans la pratique des langues. Titaÿna était trilingue. Non conformistes, idéalistes, ces femmes étaient attirées par les théâtres de la misère et de la révolution – la Russie, Vienne la rouge, l'Espagne du *Frente popular* – et par les idéaux de gauche. Excepté Titaÿna, qui réalisa une interview complaisante d'Hitler en 1936 et fut tentée par la collaboration. Andrée Viollis était socialiste ; Made-

1. Marc Martin, *Les Grands Reporters. Les débuts du journalisme moderne*, Paris, Louis Audibert, 2005 ; notamment p. 292-298, « Des femmes grands reporters » ; Andrée Viollis est mentionnée une trentaine de fois.

leine Jacob, Simone Téry adhérèrent au communisme qu'elles servirent à *L'Humanité*.

Aujourd'hui, les femmes «grands reporters», envoyées à leur demande par les journaux ou les chaînes de télévision, sont sur tous les fronts, partout dans le monde, y compris sur les lieux les plus exposés. Elles prennent et courent des risques qu'elles paient parfois très cher. Je pense à Florence Aubenas, enlevée en Irak avec son guide irakien, l'un et l'autre heureusement libérés.

Les femmes dans le temps de l'Histoire

L'histoire des femmes a sa chronologie, pas toujours facile à établir. Au vrai, c'est un point d'achoppement. Elle a en tout cas ses événements propres, différents souvent de l'histoire politique, plutôt de l'ordre du culturel, du religieux, du juridique, du biologique, du technique aussi. Telle réforme religieuse, tel livre – *La Cité des dames* de Christine de Pisan ou *Le Deuxième Sexe* de Simone de Beauvoir –, telle découverte médicale (la césarienne ou la pilule) ou technique (la machine à coudre ou à écrire) s'inscrivent dans sa trame de manière décisive. La libre contraception est sans doute l'événement majeur, celui qui a le plus bouleversé les rapports entre les sexes, et commencé à «dissoudre» leur hiérarchie. S'agissant de cette histoire, il faut en tout cas élargir considérablement la notion d'événement. Et par conséquent la conception même de l'histoire.

Mais ce qui m'importe à présent, c'est de voir comment l'histoire générale affecte ces rapports. Les hommes et les femmes vivent ensemble les grands événements, les ruptures du temps. Ensemble et différemment, en raison de leur situation dans la société du moment. Ainsi on s'est demandé s'il y avait eu une Renaissance pour les femmes. Oui, mais pas identique à celle des hommes, et contradictoire. Elle renforce leurs devoirs de beauté, l'exigence physique de la féminité. Elle leur ouvre l'accès au savoir. La Réforme protestante est favorable à leur instruction et la Contre-Réforme catholique n'est pas en reste. Mais l'une et l'autre s'entendent pour éliminer les sorcières, obstacles à la rationalité triomphante, boucs émissaires de la modernité, qui les brûle.

Prenons, parmi les événements contemporains, les grandes ruptures que sont les révolutions et les guerres : la Révolution française, la Première Guerre mondiale, par exemple. En quoi modifient-elles les frontières des sexes ?

La Révolution française est, elle aussi, contradictoire. L'universalisme de la *Déclaration des droits de l'homme et du citoyen* ne concerne pas vraiment les femmes : elles ne sont pas des individus. La Révolution leur accorde pourtant des droits civils, mais aucun droit politique. Droits civils : égalité successorale, égalité dans l'acte civil du mariage qui suppose leur libre consentement et peut être dissous par le divorce ; droit de gérer leurs biens en fonction du contrat de mariage. C'était une rupture avec la plupart des coutumes, en particulier la coutume normande qui ne reconnaissait aux femmes aucun droit. C'est l'origine du crime de Pierre Rivière, le «parricide aux yeux roux» dont Michel Foucault a retrouvé la confession : *Moi, Pierre Rivière, ayant égorgé ma mère, ma sœur et mon frère*[1]... Et il s'en explique : «Les femmes gouvernent à présent.» La Révolution a détrôné le père, comme

---

1. Michel Foucault, *Moi, Pierre Rivière, ayant égorgé ma mère, ma sœur et mon frère... Un cas de parricide au XIXᵉ siècle présenté par Michel Foucault*, Paris, Flammarion, 1973.

elle a tué le roi. Pourtant, la Restauration a supprimé le droit au divorce, et le Code civil de 1804, «monument d'iniquité» selon George Sand, a rétabli le mari-père dans la plénitude de son pouvoir patriarcal. Pierre Rivière délire, ou il anticipe. En tout cas, la Révolution française exclut les femmes de l'exercice de la politique, à commencer par le droit de vote. Elles sont toutes «citoyennes passives», aux côtés des mineurs, des étrangers, des plus pauvres et des fous. «Du moins, dans l'état actuel», disait Sieyès, organisateur du suffrage. Et c'était, il est vrai, l'expression d'un doute, que peu d'hommes – excepté Condorcet – partageaient. Une porte entrebâillée, dans laquelle le féminisme allait s'infiltrer, voire s'engouffrer.

Car, dès cette époque, il existe des femmes qui protestent : ces *citoyennes tricoteuses* dont Dominique Godineau a raconté l'histoire. Femmes du peuple, urbaines, parisiennes surtout, qui harcèlent les hommes dans les tribunes de l'Assemblée, tout en tricotant pour signifier qu'elles n'abandonnent pas les «devoirs de leur sexe» qu'on a tant reproché à Olympe de Gouges d'avoir négligés. Une minorité assurément : la majeure partie des femmes, paysannes, artisanes, ménagères, étaient indifférentes, voire hostiles, à la Révolution qui dérangeait le cours ordinaire des choses et portait atteinte à la religion, qu'elles pratiquaient plus que les hommes. Mais quelle éclatante et bruyante minorité que ces femmes des clubs, ces clubs fermés par les jacobins, dont la plus célèbre est Olympe de Gouges, actrice et écrivaine, auteure de pièces de théâtre contre l'esclavage des Noirs, à jamais illustre pour avoir écrit la *Déclaration des droits de la femme et de la citoyenne* en 1791. Ce texte, dédié bien imprudemment à Marie-Antoinette, est presque contemporain de celui de Condorcet, *Sur l'admission des femmes au droit de cité* (1790). Il est plus dramatique : «Femme, réveille-toi ; le tocsin de la raison se fait entendre dans tout l'univers ; reconnais tes droits. » Il est plus précis, en dix-sept articles d'une grande modernité, dont le fameux article 10 : « La femme a le droit de monter à l'échafaud ; elle doit avoir celui de monter à la tribune. » Olympe montera en effet à l'échafaud deux ans plus tard, en 1793, en même temps que Mme Roland. Aujourd'hui, rue Servandoni, dans le VIᵉ arrondissement, non loin du jardin du Luxembourg, une plaque honore sa mémoire, presque en face de celle qui rappelle que Condorcet, caché, composa en cette rue son *Esquisse d'un tableau historique des progrès de l'esprit humain*. Peu avant de mourir.

Les révolutions du XIXᵉ siècle sont autant de brèches dans les systèmes de pouvoir, favorables à la revendication latente de l'égalité des sexes. Ainsi en 1848, expérience la plus éclatante et la plus décevante à cet égard. En dépit des « femmes de 1848 » – Eugénie Niboyet, Désirée Gay, Jeanne Deroin –, de leurs journaux – *La Voix des femmes, L'Opinion des femmes...* – et de leurs clubs, caricaturés par Daumier et Gavarni, le « suffrage universel » ne concerne que les hommes, seuls représentants de la famille qui demeure l'unité de base, y compris dans l'ordre politique. Les Françaises devront attendre 1944. Un coup pour rien. Une exclusion renforcée du fait de l'indifférence du mouvement ouvrier et de la division des femmes. Ainsi, George Sand, si active en 1848, estimait, comme ses amis républicains et socialistes, que la question sociale était prioritaire et le droit de vote des femmes, prématuré, en raison de leur état de sujétion.

Autre type d'événement : *les guerres*. La Grande Guerre, par exemple, qui, par sa longueur et son intensité dramatique, a été une véritable épreuve pour la différence des sexes. D'interprétation difficile, du reste. Au premier abord, elle est, jusque dans sa symbolique, remise en ordre des sexes, les hommes au front, les femmes à l'arrière. Ils combattent; elles les secondent, les remplacent, les soignent, les attendent, les pleurent. Mais en même temps, elles s'immiscent dans des lieux et des tâches masculines dont elles se tirent fort bien. Elles conduisent charrues, voitures et tramways. Les « munitionnettes » tournent des obus dans les usines d'armement. Les femmes gèrent leur budget, manient l'argent, reçoivent de meilleurs salaires. Elles font grève pour leur augmentation: en 1915, en 1917, elles manifestent à Paris, de leur propre initiative. Elles vont et viennent, fument, prennent des libertés. Les hommes critiquent leurs dépenses, louchent sur leurs bas de soie, soupçonnent leur fidélité. Rupture d'habitudes et d'évidence, la sexualité de guerre est problématique[1].

Après la guerre, il y a une volonté de restaurer l'ordre ancien: national, avec la Chambre « bleu horizon », nationaliste et conservatrice; et familial. Les hommes, quand ils reviennent, tentent de retrouver leurs prérogatives: au travail, où les femmes doivent souvent leur céder la place, au foyer, où les retrouvailles s'avèrent difficiles pour ces couples désaccordés. Les divorces sont d'ailleurs nombreux. Décidément, plus rien ne sera comme avant. Les « Années folles » tentent de tourner la page et elles montrent la profondeur de la « crise d'identité sexuelle » (André Rauch), pour les hommes, perturbés, plus que pour les femmes, conquérantes, cheveux coupés et court vêtues. Les femmes paraissent, sous l'angle de l'égalité, les principales bénéficiaires de la guerre qui a, au bout du compte, accéléré une évolution largement commencée auparavant, à la Belle Époque.

Décidément, il est temps de remettre les choses et les sexes à leur place: ce que tentent les régimes totalitaires (fascisme ita-

1. Jean-Yves Le Naour, *Misères et tourments de la chair durant la Grande Guerre. Les mœurs sexuelles des Français, 1914-1918*, Paris, Aubier, 2002.

lien, nazisme allemand) et leurs succédanés, franquisme en Espagne et régime de Vichy en France. Ces régimes font de la différence des sexes et de leur hiérarchie un principe absolu. Le chef, le *Führer*, c'est lui, l'homme. Ce machisme s'appuie du reste sur une tentative de séduction. Les femmes y succombent parfois, à voir, sur les bandes d'actualités, leurs visages pâmés lors des manifestations de masse pro-hitlériennes.

Alors : *victimes ou consentantes, les femmes ?* Sur ce point, il y a un débat historiographique qui pose la question, essentielle, de l'adhésion des femmes (et plus largement de tout acteur social) à leur rôle. Pour Gisela Bock[1], historienne du nazisme, les femmes furent avant tout victimes, de la politique nataliste, mais plus encore de la stérilisation forcée au nom de la pureté raciale. Leur corps instrumentalisé était entièrement soumis aux impératifs d'État. Pour Claudia Koonz, les organisations féminines nazies accordaient aux femmes privilèges matériels et symboliques. Les *mères-patrie du IIIe Reich* étaient des femmes consentantes. C'est aussi la thèse de Rita Thalmann, une des premières à avoir écrit sur la question[2]. Ces historiennes insistent sur la responsabilité des femmes dans l'Histoire, dans leur propre histoire. Question qu'on ne peut éluder si l'on prétend que les femmes sont actrices de l'histoire. Il n'y a pas d'innocence des opprimés. « On ne naît pas innocente, on le devient », écrit justement Liliane Kandel[3].

L'expérience française de l'Occupation et du régime de Vichy fournit un exemple, moins totalitaire, mais encore plus subtil, du

1. Gisela Bock, « Le nazisme. Politiques sexuées et vies des femmes en Allemagne », in *Histoire des femmes en Occident, op. cit.*, t. 5, p. 143-167.
2. Rita Thalmann, *Être femme sous le IIIe Reich*, Paris, Tierce, 1982 ; (dir.), *Femmes et fascismes*, Paris, Tierce, 1986.
3. Liliane Kandel (dir.), *Féminismes et nazisme*, préface d'Élisabeth de Fontenay, Paris, Odile Jacob, 2004.

retour à l'ordre sexuel. On connaît la devise de Pétain : « Travail, Famille, Patrie. » Elle s'accompagnait d'une politique nataliste, hostile au travail des femmes, à la fois répressive et incitative. Un décret de l'automne 1940 (en fait peu appliqué en raison des besoins) exclut les femmes mariées de la fonction publique : retour au foyer. L'avortement fut sévèrement puni. En 1943, une femme fut condamnée à mort et exécutée pour ce fait[1]. C'était le retour au début du XIXe siècle. On célébrait la Mère : on pérennisa la fête des Mères, introduite dans les années 1920. On rendit obligatoire un programme d'enseignement ménager et de puériculture dans les établissements féminins. On vénérait la Vierge : Notre-Dame de Boulogne circulait de ville en ville, dans un esprit de mission expiatoire. On favorisait l'enseignement privé, où les religieuses « sécularisées » pouvaient reprendre le voile. On encourageait les associations familiales[2]. Une partie des femmes, culpabilisées, de la France défaite se laissèrent séduire. Mais, dans l'ensemble, elles résistèrent. La majorité se contenta d'une sourde obstruction, arme puissante, plutôt dans la société civile. Les jeunes filles, notamment, menèrent sourdement leur existence. D'autres s'engagèrent dans la Résistance, avec les armes des femmes, le secret, l'accueil, le transport, la transmission ; plus rarement dans l'action politique ou militaire. On a tardivement reconnu le rôle de ces « combattantes de l'ombre »[3].

Ainsi, chaque événement pose la question des rapports entre les sexes. Il les interroge. Il les déplace. Ce déplacement, plus

---

1. C'est l'objet du film de Claude Chabrol, *Une affaire de femmes* (1988).
2. Francine Muel-Dreyfus, *Vichy et l'Éternel féminin. Contribution à une sociologie politique de l'ordre des corps*, Paris, Seuil, 1996.
3. Cf. Françoise Thébaud (dir.), « Résistance et libérations (France, 1940-1945) », *Clio. Histoire, femmes et sociétés*, n° 1, 1995 ; une mise au point historiographique.

ou moins égalitaire, du tracé de la frontière, dépend aussi de l'action des femmes : de leur action collective et de la force de leur désir.

Les formes de l'action collective

Agir dans l'espace public n'est pas aisé pour les femmes, vouées au privé, critiquées dès qu'elles se montrent ou parlent trop fort. Elles l'ont fait, pourtant, et de bien des manières, que je voudrais explorer. Souvent, elles prennent appui sur leurs rôles traditionnels, et alors, tout va bien. Ainsi pour les émeutes de subsistances ou l'action charitable. Tout se complique lorsqu'elles prétendent agir comme des hommes. La frontière du politique s'avère particulièrement résistante. Dans l'Athènes de Périclès comme dans le Londres de Cromwell ou le Paris de la Révolution française. Le politique, longtemps, fut une forteresse interdite.

L'*émeute de subsistances*, voilà ce qui convient aux femmes. Gardiennes du vivre et du couvert, ces ménagères éternelles ont raison de s'en soucier. Elles le doivent même. C'est leur mission. Il leur incombe de veiller aux approvisionnements, au prix des grains ou du pain, et, le temps passant, d'autres denrées considérées comme vitales. Leur action est un ressort de ce qu'on appelle au XVIIIᵉ siècle l'*économie morale* : celle qui accepte un *juste prix* des denrées – grain, pain, pommes de terre au XIXᵉ siècle, et autres produits, dont les changements illustrent les modifications du mode ou du niveau de vie –, mais qui refuse toute hausse considérée comme spéculative. Lors de la crise de « vie chère » qui, au début du XXᵉ siècle (1910), touche toute l'Europe, les ménagères du nord de la France revendiquent «le beurre à 10 sous» et protestent contre la hausse du lait et du sucre. Le «panier de la ménagère» change de contenu.

Ces émeutes de subsistances, bien documentées parce que les pouvoirs les redoutent, bien étudiées par les historiens[1], furent très nombreuses du XVIIe au milieu du XIXe siècle. Elles étaient mixtes, mais le rôle des femmes y allait croissant. Elles étaient d'«évidentes émeutières[2]». Ensuite, ces troubles s'atténuèrent, en raison du développement des chemins de fer et de la régulation du marché. Du coup, l'intervention publique des femmes se fit plus rare. En quoi consistent-elles, ces émeutes? Ce sont des attroupements du marché, du chemin, de la route, du moulin qui visent les détenteurs des denrées: blatiers, meuniers, boulangers, marchands surtout. Ceux que le peuple du XVIIIe siècle appelle les «accapareurs», et qu'il déteste parce qu'il voit en eux des profiteurs qui l'affament. La liberté du commerce des grains, établie à la fin du XVIIIe siècle, bénéfique à terme, suscita bien des soupçons. En cas de pénurie, ou de hausse indue des prix, les femmes donnent l'alerte, s'ameutent, protestent, s'en prennent aux marchands, les menacent, renversent leurs étals, s'en vont sur les chemins, près des canaux pour arrêter les charrois, s'autorisant – il faut bien vivre – à s'emparer de leurs cargaisons. De plus en plus, elles demandent la taxation du grain ou du pain par les autorités, municipales ou autres. Et, pourquoi pas, par l'État? En cela, les ménagères jouent un rôle politique. Éclatant les 5 et 6 octobre 1789,

---

1. Jean Nicolas, *La Rébellion française. Mouvements populaires et conscience sociale, 1661-1789*, *op. cit.*; Nicolas Bourguinat, *Les Grains du désordre. L'État face aux violences frumentaires dans la première moitié du XIXe siècle*, Paris, EHESS, 2002.

2. Arlette Farge, «Évidentes émeutières», in *Histoire des femmes en Occident*, *op. cit.*, t. 3, p. 481-496.

lorsque les dames de la Halle s'en furent à Versailles chercher «le boulanger, la boulangère et le petit mitron» pour les ramener à Paris et leur garantir le pain. Michelet, qui réprouve habituellement l'action politique des femmes, loue les ménagères parisiennes de leur légitime vigilance. Ces nourricières protègent leurs enfants et le peuple, qui est aussi leur enfant. Elles se comportent en mères.

Les troubles de subsistances sont plus ou moins violents. Ils virent parfois à l'émeute, font des morts. La troupe intervient, plus ou moins brutalement. Il y a des arrestations, des procès, des condamnations à mort. Elles touchent aussi les femmes que les magistrats hésitent pourtant à frapper trop durement à cause de leurs enfants. La mère protège la femme. Mais on redoute leur présence et la psychologie des foules, au XIXᵉ siècle, assimile la foule aux femmes : hystérique, comme elles. Zola, dans *Germinal* (1885), met en scène une manifestation de femmes de mineurs, la Maheude en tête, contre l'épicier Maigrat, qu'elles émasculent. Scène épique qui n'a pas de précédent ; mais qui représente l'essence même du rôle, attendu ou redouté, de l'action collective des femmes. Elle met en évidence l'impuissance des hommes.

La régulation du marché entraîne la régression, voire la disparition, de cette forme d'intervention des femmes. Du coup, elles disparaissent de la rue. Au XIXᵉ siècle, leur présence dans les manifestations, comme d'ailleurs sur les barricades, s'amenuise. À Paris, elles sont plus barricadières en 1830 qu'en 1848. À Lyon, entre 1848 et 1914, les manifestations deviennent de plus en plus ouvrières et masculines. Les femmes y ont une place marquée, processionnelle, articulée, symbolique. On s'achemine vers la manifestation syndicale organisée, celle du 1ᵉʳ Mai par exemple, où les femmes sont porte-couronnes ou porte-drapeaux, ou, tout simplement, ornement, signe d'une popularisation familiale recherchée. Elles se font belles pour la manif.

Car *la grève* ne remplace pas l'émeute de subsistances. C'est un acte viril, lié au salariat industriel, qui n'est pas d'abord l'horizon des femmes. Leur place dans les grèves est même inférieure à leur poids dans le salariat ouvrier. Elles participent pourtant aux grèves mixtes, et leur rôle, comme celui des femmes de grévistes, est essentiel. Dans les grèves de mineurs, parfois si longues, dans celle des délaineurs de Mazamet en 1909, ou des boutonniers de Méru, célèbres dans les annales du mouvement ouvrier pour leur ténacité particulière, elles organisent des cuisines collectives, temps fort de la solidarité ouvrière. Elles font plus rarement grève toutes seules. Les ouvriers ne les soutiennent pas toujours. Leurs grèves sont surtout défensives, liées à des questions de discipline ou d'horaires. Elles sont plus festives que violentes. Elles échouent souvent. Bien entendu, les choses changent : l'accès des femmes au salariat accroît leur conflictualité. On le voit bien pendant la guerre : en 1917, les munitionnettes et les midinettes défilent dans les rues de la capitale. Les femmes sont très présentes dans les occupations d'usine du Front populaire, ou dans celles de 1968. Mais leur émergence véritable se produit dans les années 1970-1980, dans les usines de confection ou de petite construction mécanique, reposant sur l'emploi faiblement rémunéré d'une main-d'œuvre féminine peu qualifiée. Tels Le Joint français ou Moulinex. Ces usines sont les plus menacées par la concurrence des fabriques asiatiques où œuvrent d'autres femmes encore plus surexploitées. Lorsqu'elles ferment, les conflits sont interminables et souvent désespérés.

Le *syndicalisme* aurait pu créer une opportunité pour les femmes[1]. Le droit de se syndiquer a précédé, dans de nombreux

1. Michelle Zancarini-Fournel (dir.), «Métiers, corporations, syndicalisme», *Clio. Histoire, femmes et sociétés*, n° 3, 1996.

pays, le droit de vote : ainsi en France, en 1884, la loi Waldeck-Rousseau déclare que « les femmes mariées, exerçant une profession ou un métier, peuvent, sans autorisation de leur mari, adhérer aux syndicats professionnels et participer à leur administration et à leur direction ». Il est vrai que, pour travailler, il leur fallait d'abord obtenir cette autorisation, et ce, jusqu'en 1938 (loi du 18 février). Il n'empêche, la loi ouvrait une brèche, élargie par la suite : en 1900, les femmes sont déclarées électrices et éligibles au Conseil supérieur du travail ; en 1907, elles le sont aux conseils de prud'hommes. Toujours exclues du droit de vote, les femmes se voient reconnaître un certain droit syndical. Une forme de citoyenneté sociale, longtemps plus théorique que réelle.

Les femmes entrèrent lentement dans les syndicats. Salariées marginales, elles n'avaient pas intégré la culture du travail. Leurs compagnons n'y étaient pas favorables : ils rechignaient aux cotisations, au temps perdu. Les femmes avaient mieux à faire qu'à aller à des réunions. Au début, leur prise de parole était même contrôlée : dans certains syndicats du nord de la France, elles devaient passer par un homme pour avoir l'autorisation d'intervenir. C'était pire en Angleterre : à l'époque du chartisme, dans les années 1830, les *inns* et les *pubs* excluent les femmes, au fur et à mesure qu'ils deviennent les sièges des unions. Elles se taisent, elles se retirent dans un coin, puis elles cessent de venir. Le trade-unionisme, le travaillisme se sont construits en dehors d'elles.

En France, le syndicalisme d'action directe, d'inspiration proudhonienne, est hostile au travail des femmes – un pis-aller – et teinté de virilisme. L'affaire Couriau, en 1913, illustre les réticences ouvrières à l'entrée des femmes dans certaines professions et dans les syndicats correspondants. Emma Couriau était typote dans une imprimerie de Lyon, où œuvrait son mari, ce qui était déjà assez exceptionnel, les métiers du Livre ayant à honneur de rester masculins. Elle demande à se syndiquer. Refus, grève, longue et dure. Il faudra l'intervention de la Fédération nationale du Livre (CGT), plus ouverte que sa base, pour qu'elle soit acceptée.

La mixité du syndicat le rendait difficile d'accès pour une honnête femme. C'est pourquoi le syndicalisme réussissait mieux quand il correspondait à un secteur d'emploi « féminin » : Tabacs, ou Fleurs et Plumes étaient des secteurs revendicatifs et relativement organisés, animés par d'actives militantes… L'éloquente citoyenne Jacobi (Tabacs), l'élégante Mlle Bouvard (Fleuristes-Plumassières) n'hésitent pas à parler aux tribunes des congrès. Elles semblent même y trouver du plaisir.

Un syndicalisme unisexe paraissait plus convenable, dans la lignée des « chambres des dames », mutuelles plus que syndicats, des années 1870-1880, dont s'inspira le syndicalisme chrétien des domestiques (le « Genêt ») ou des employées, développé par Marie-Louise Rochebillard. De ce rameau est sortie la CFTC, devenue plus tard CFDT, dotée dès le départ d'une forte culture féminine. Jeannette Laot et Nicole Notat en sont issues. Entre CFDT et CGT ou FO, il y a deux généalogies différentes quant aux rapports de sexes, et qui les marquent encore aujourd'hui. Le journal *La Fronde* de Marguerite Durand et Séverine soutenait les syndicats et les grèves de femmes. Mais ce soutien du « féminisme bourgeois » leur valut bien des critiques.

Elles n'ont jamais complètement cessé. Soixante-dix ans plus tard, des militantes de la CGT – Christiane Gilles, Chantal Rogerat –, engagées dans les luttes du MLF, veulent faire entendre qu'il existe dans la société et au sein du syndicalisme une « question des femmes », notamment par le biais du mensuel féminin de la CGT, *Antoinette*, dont elles sont responsables. Leur action culmine au congrès de la CGT en 1977. Elles finiront par être licenciées et *Antoinette* devra se saborder. Entre femmes et syndicalisme persiste un malentendu, selon lequel les rapports de sexes sont secondaires et subordonnés aux rapports sociaux. La domination masculine ne peut être que celle du capital et l'oppression des femmes ne saurait se substituer à celle du prolétariat. Aujourd'hui, en France, dans un syndicalisme minoritaire, la dissymétrie sexuelle reste forte : le taux de syndicalisation est de 11 % pour les hommes et de 3,5 % pour les femmes. Les femmes représentent 42 % des effectifs de la CFDT, 36 % de Sud et 28 % de la CGT.

En dépit de ces restrictions, le syndicalisme a été pour nombre de femmes un lieu de solidarité, de sociabilité, d'ouverture au monde et de prise de responsabilités. Les congrès furent de véritables propédeutiques de la parole des femmes. Au célèbre congrès de Marseille (1879), Hubertine Auclert s'adressait aux ouvriers. « Esclave, déléguée de neuf millions d'esclaves », elle revendiquait la totale égalité des droits des deux sexes, vœu pieux qui fut voté aux acclamations de l'assistance. Entre les deux guerres, les institutrices surtout développèrent un syndicalisme actif, très sensible aux revendications des femmes, y compris en matière de contrôle des naissances, ce qui leur valut des poursuites judiciaires[1].

Malgré tout, les *associations* convenaient mieux aux femmes. Associations pieuses et charitables, associations philanthropiques étaient légion. Notamment en Angleterre : la *London Mission*, qui repose sur l'action des dames, l'Armée du salut qui porte des femmes à sa tête, comme Evangeline Booth, devenue générale. Il y eut une myriade d'associations, pour les malades, les pauvres, les enfants « en danger », les personnes âgées, les prisonniers (visiteuses de prisons comme la célèbre Elizabeth Fry)…, où s'engouffraient l'énergie des femmes et leur volonté héroïque. Par

---

1. Slava Liszek, *Marie Guillot. De l'émancipation des femmes à celle du syndicalisme*, Paris, L'Harmattan, coll. « Chemins de la mémoire », 1994.

l'action sociale, on pouvait être utile et même se faire un nom. Le monde ouvrier devint une véritable terre d'enquête et de mission, où certaines s'implantaient dans des *settlements* (Marie-Jeanne Bassot, à Levallois-Perret[1]). L'action locale, concrète et limitée, convenait mieux aux femmes. Elle les préparait à l'action municipale, premier échelon d'une intervention plus politique dans la Cité, et qui constitue aujourd'hui, en France comme en Europe, leur meilleur ancrage.

La politique : la Cité interdite

De toutes les frontières, celle de la politique fut, dans tous les pays, la plus difficile à franchir. Parce que la politique est le centre de la décision et le cœur du pouvoir, elle était considérée comme l'apanage et l'affaire des hommes. La Cité grecque exclut les femmes, comme elle le fait des esclaves et des barbares, mais différemment. Les femmes interviennent en cas de crise aiguë où l'existence de la Cité est remise en cause. Cette *stasis* (sédition) est, selon Nicole Loraux, considérée comme une catastrophe[2].

La sacralisation du pouvoir des clercs, au Moyen Âge, n'arrange rien. Le Moyen Âge est « mâle ». L'aristocratie échange les biens et les femmes dans l'intérêt des lignages et par le biais des mariages bénits par l'Église[3]. Dans des cas exceptionnels, elle

---

1. Cf. Évelyne Diébolt, *Les Femmes dans l'action sanitaire, sociale et culturelle (1801-2001)*, publié par l'association « Femmes et associations », 2001 ; Sylvie Fayet-Scribe, *Associations féminines et catholicisme. De la charité à l'action sociale, XIXᵉ - XXᵉ siècles*, Paris, Éditions ouvrières, 1990.

2. Nicole Loraux, *Les Enfants d'Athéna*, Paris, Maspero, 1981 ; *Les Expériences de Tirésias. Le féminin et l'homme grec*, Paris, Gallimard, 1989 ; « La cité, l'historien, les femmes », *Pallas*, 1985, p. 7-39.

3. Georges Duby, *Mâle Moyen Âge. De l'amour et autres essais*, Paris, Flammarion, 1988 ; *Le Chevalier, la Femme et le Prêtre. Le mariage dans la France féodale, op. cit.*

admet le pouvoir des dames et confie la régence aux reines : parenthèses que la Renaissance nuance par le retour à un néo-platonisme qui prélude à «la querelle des sexes». Catherine de Médicis entend contribuer, par son «haut cœur» et sa «douceur», par ses qualités proprement féminines, à la consolidation de l'absolutisme royal, plus mâle que jamais[1].

La Révolution française poursuit sur ce point l'Ancien Régime, reconduit la loi salique et ajoute ses raisons, toutes romaines, à l'exclusion politique des femmes. «Citoyennes passives», les femmes ont droit à la protection de leur personne et de leurs biens, elles sont faites pour être protégées. À peine sont-elles punissables, puisque dépourvues de responsabilité et de statut juridique. Pour sortir de cette situation d'assistées, les femmes doivent faire leurs preuves, montrer qu'elles sont des individus responsables. En ce sens, la démocratie représente une potentialité, la possibilité d'une inclusion, une promesse d'universalité. À terme, la logique démocratique dissout les groupes, y compris la famille, et concerne tous les individus : encore faut-il être reconnu comme tel. C'était le problème des femmes.

Pour le résoudre, il fallut la modernisation des esprits, l'évolution des mœurs, la revendication des femmes (en l'occurrence, le suffragisme, anglais, français, européen, occidental), et des commotions, comme les guerres. Après la Première Guerre mondiale, de nombreux pays accordent le droit de vote aux femmes. Pas la France, qui attendra le lendemain de la Seconde Guerre : l'Assemblée consultative d'Alger, par ordonnance du 21 avril 1944 (article 17), déclare : «Les femmes sont électrices et éligibles dans les mêmes conditions que les hommes.» Enfin. Il avait fallu

1. Denis Crouzet, *Le Haut Cœur de Catherine de Médicis. Une raison politique au temps de la Saint-Barthélemy*, Paris, Albin Michel, 2005 ; Thierry Wanegffelen, *Catherine de Médicis. Le pouvoir au féminin*, Paris, Payot, 2005.

balayer d'ultimes objections des radicaux : en l'absence des maris, prisonniers, le vote des femmes, privées de « leurs éducateurs naturels », n'était-il pas hasardeux ? Ils redoutaient que, manipulées par l'Église de la démocratie chrétienne, elles déplacent le vote vers la droite. En 1945, les Françaises votent pour la première fois, en effet, un peu plus à droite que les hommes, dont elles ne cesseront de se rapprocher politiquement, constituant, dans les derniers temps, une digue plus forte contre le Front national.

Pourquoi cette « singularité » française[1] ? On a invoqué bien des raisons. D'abord, la vieille tradition de la *loi salique* qui exclut les femmes du trône : la reine n'est, en France que « la femme du roi », comme l'a montré Fanny Cosandey[2] ; ce qui n'est pas le cas dans les autres pays européens. Angleterre (Élisabeth Iʳᵉ), Russie (la Grande Catherine), Suède (la reine Christine) et même Autriche (Marie-Thérèse, si attentive aux attitudes de Marie-Antoinette, sa fille, à la cour de France)[3] ont des souveraines à part entière. La construction des rapports de sexes sur le mode de la courtoisie et de la galanterie, propre à notre civilité, placerait les femmes hors de l'arène conflictuelle du politique : avec elles, on veut l'amour, pas la guerre. Mais pourquoi le mouvement ouvrier a-t-il « oublié » les femmes en 1848, alors qu'elles étaient si ardentes à demander le droit de vote ? La persistance du holisme familial, qui fait de la famille la cellule élémentaire de la société, représentée par son chef, a été, selon Anne Verjus[4], le

1. Mona Ozouf, *Les Mots des femmes. Essai sur la singularité française*, *op. cit.*

2. Fanny Cosandey, *La Reine de France. Symbole et pouvoir, XVᵉ-XVIIIᵉ siècles*, Paris, Gallimard, 2000.

3. Natalie Z.-Davis, « La femme *au politique* », in *Histoire des femmes en Occident, op. cit.*, t. 3, *XVIᵉ-XVIIIᵉ siècles*, p. 175-194.

4. Anne Verjus, *Le Cens de la famille. Les femmes et le vote, 1789-1848*, Paris, Belin, 2002.

principal obstacle à l'établissement du suffrage « universel ». Jouent aussi des considérations politiques : la crainte du pouvoir occulte de l'Église par la médiation des femmes qu'elle influence. C'est la hantise de Michelet qui redoute le murmure du confessionnal, et, plus tard, celle des radicaux.

Pèse surtout la manière, le processus selon lequel la République a été établie en France : le sacrifice sanglant de la mort du roi donne au « sacre du citoyen[1] » un aspect viril et religieux qui s'accommode mal de la faiblesse et de la frivolité des femmes, indignes d'un tel sacerdoce. Enfin, la promotion d'une citoyenneté universaliste et individualiste a créé pour les femmes une situation inextricable. Ni par leur nature ni par leurs fonctions, les femmes ne sont reconnues comme des individus. On le voit : les arguments ne manquent pas, et je voudrais simplement indiquer au lecteur l'intensité des débats sur ce sujet depuis vingt ans, surtout depuis le bicentenaire de la Révolution, qui a réouvert le champ de la réflexion sur la nature de « l'universalisme ».

En France, la politique est une conquête d'homme, un métier d'homme, que les organisateurs de la démocratie, Guizot par exemple, prompts à évoquer le syndrome Marie-Antoinette, entendaient soustraire aux salons, à la parole et à la néfaste influence des femmes. Être une femme en politique, plus encore, être une « femme politique », paraît antithétique de la féminité, nier la séduction, ou tout lui devoir. D'où les blocages, les résistances, qui portent à la fois sur le gouvernement et sur la représentation. En dépit du vote de la loi sur la parité (2001), les femmes ne sont toujours que 12 % à l'Assemblée nationale, un peu plus au Sénat ; et peu nombreuses dans l'exécutif. C'est au niveau local qu'elles

---

1. Pierre Rosanvallon, *Le Sacre du citoyen. Essai sur le suffrage universel en France*, Paris, Gallimard, 1992 ; *Le Moment Guizot*, Paris, Gallimard, 1985.

progressent le plus. Toutefois, la perspective d'une femme présidente de la République n'effraie plus les Français. Ils l'envisagent même avec sympathie.

Et l'Europe, où est née l'idée de parité, et riche d'expériences d'une grande diversité, devrait faire évoluer les choses.

Féminismes

Le féminisme n'a pas forcément bonne réputation. Beaucoup de femmes s'en défendent, comme d'une ride à leur visage : « Je ne suis pas féministe, mais… », disent certaines, conscientes, malgré tout, de ce qu'elles doivent à ce mouvement. À ces mouvements, devrais-je écrire, tant le féminisme est pluriel et varié. Longtemps parent pauvre de l'historiographie, et même de la mémoire parce qu'il laisse peu de traces, en raison de la ténuité de son organisation, le féminisme a bénéficié depuis trente ans de nombreuses recherches qui ont fait revivre les pionnières, retracé ses épisodes et montré ses enjeux. La bibliographie est considérable. On dispose même d'ouvrages de synthèse, comme l'*Encyclopédie politique et historique des femmes* de Christine Fauré, ou *Le Siècle des féminismes*[1]. Ils montrent que l'on est passé de la mémoire à l'histoire, à une histoire comparative au moins dans le monde occidental.

Les mots : d'abord, d'où vient le mot « féminisme » ? Sa paternité est incertaine. On l'a attribué à Pierre Leroux, inventeur de « socialisme ». Plus sûrement à Alexandre Dumas fils, en 1872, de

---

1. Christine Fauré (dir.), *Encyclopédie politique et historique des femmes*, Paris, PUF, 1997 ; Éliane Gubin, Catherine Jacques, Florence Rochefort, Brigitte Studer, Françoise Thébaud, Michelle Zancarini-Fournel (dir.), *Le Siècle des féminismes*, Paris, L'Atelier, 2004.

manière fort péjorative. Selon lui, le féminisme était la maladie d'hommes suffisamment «efféminés» pour prendre le parti des femmes adultères, au lieu de venger leur honneur. Des faibles, en somme. En 1880, Hubertine Auclert, notre suffragiste française, se déclare fièrement «féministe». À la fin du siècle, ces vocables, substantif ou adjectif, se répandent, deviennent à la mode, sans toutefois remplacer des expressions comme «la cause des femmes», ou *Women's Movement*, que préfèrent les Anglo-Saxonnes. En 1975 encore, l'historienne britannique Sheila Rowbotham raconte que, dans sa jeunesse, elle voyait les féministes comme «des êtres effrayants en costume de tweed, avec des lunettes d'écaille et des chignons serrés, et surtout des êtres totalement asexués[1]». Dans le même sens, Antoinette Fouque écrit: «J'ai lutté pour que le Mouvement des femmes ne devienne pas le *mouvement féministe*. Il me semblait, peut-être à tort, qu'avec le mot femme nous avions des chances de nous adresser, sinon à toutes, du moins au plus grand nombre[2].» Sans doute avait-elle raison. Mais c'est dire la force des stéréotypes.

La chose? Au sens très large, «féminisme», «féministes» désignent celles et ceux qui se prononcent et luttent pour l'égalité des sexes. Personnes isolées, comme Christine de Pisan, l'auteure de *La Cité des dames*, à la fin du XVe siècle, ou Mary Astell au XVIIe, qu'on a pu qualifier de «préféministes»[3]. Doctrines et mouvements plus collectifs à partir de la fin du XVIIIe siècle. Ainsi, on

1. Cité par Françoise Barret-Ducrocq, *Le Mouvement féministe anglais d'hier à aujourd'hui*, Paris, Ellipses, 2000, p. 7. Sheila Rowbotham est une pionnière de l'histoire des femmes anglaises. Citons entre autres *Hidden from History*, Londres, Pluto Press, 1973.
2. *Ibid.*
3. Guyonne Leduc, *L'Éducation des Anglaises au XVIIIe siècle*, Paris, L'Harmattan, 1999.

est frappé de la simultanéité de trois textes fondateurs : 1790, *De l'admission des femmes au droit de cité*, de Condorcet ; 1791, la *Déclaration des droits de la femme et de la citoyenne* d'Olympe de Gouges ; 1792, *A Vindication of the Rights of Woman* de Mary Wollstonecraft. Un tournant. Un avènement. Insinué dans la brèche des Lumières et surtout de la Révolution française, selon un processus éruptif classique, qui rappelle la tectonique des plaques et le surgissement d'un tsunami, heureusement moins ravageur, et qui se reproduira maintes fois. Comme si les revendications latentes des femmes n'attendaient qu'une faille pour jaillir. En somme, l'équilibre des sexes vit sur un volcan.

Le féminisme agit par poussées, par vagues. C'est un mouvement intermittent, syncopé, mais résurgent, parce qu'il ne s'appuie pas sur des organisations stables capables de le capitaliser. Mouvement plus que parti – en dépit de quelques tentatives avortées –, il s'appuie sur des personnalités, des regroupements éphémères, des associations fragiles. L'absence de locaux complique les choses. Les femmes de 1848 se réunissent chez celles qui ont une chambre accueillante et « assez de chaises ». Les sociétés prennent néanmoins plus de consistance avec le temps. Au XXe siècle fleurissent les *Vereine*, les associations pour « le droit de suffrage », le soutien aux femmes diplômées (AFDU), les « ligues », les « conseils ». À Washington, en 1888, est fondé le Conseil international des femmes (CIF), avant tout suffragiste, qui essaime dans le monde : le Conseil français (CNFF) naît en 1901 ; il y a 28 conseils nationaux en 1914. Le CIF organise des congrès, qui initient les femmes à la parole publique, au voyage militant et aux relations internationales. Henry James a donné de ces premières oratrices un portrait doux-amer dans *Les Bostoniennes*.

Ce féminisme mène des actions variées : d'abord par l'écrit. Pétitions, dont les Anglaises étaient friandes, et que George Sand recommandait aux femmes privées d'autres formes de citoyenneté. Manifestes pour des revendications plus solennelles, comme le droit à l'avortement (celui des 363 « salopes », publié dans *Le Nouvel Observateur*, a fait date) ou pour la parité. Livres et surtout journaux. Ceux-ci accompagnent les révolutions de 1830 et de 1848. La *Frauenzeitung* de Louise Otto à Leipzig a pour devise : « Je recrute des citoyennes pour le royaume de la liberté. » En 1868, *La Donna* d'Anna Maria Mozzoni se veut résolument européen, voire cosmopolite, comme le *Journal des dames d'Athènes*, de Kallirroi Parein[1]. Surtout la célèbre *Fronde* (1897-1905) de Marguerite Durand, journal administré, écrit, composé par des femmes, mensuel, puis quotidien durant une brève période, se hisse au niveau des grands journaux d'opinion et d'information, cités par les confrères. Il bénéficie de grandes signatures – Colette épisodiquement – et du talent de journalistes professionnelles, comme Séverine, qui « couvre » la révision du procès Dreyfus à Rennes. Le journal a pris résolument parti pour Dreyfus et pour Lucie, la ferme et discrète compagne dont la *Correspondance* révèle le courage sans faille[2]. Par cette affaire, presque par effraction, les féministes accèdent au rang d'« intellectuelles », nouvelle catégorie d'acteurs publics pensés au masculin[3].

Le féminisme agit par des meetings. Le plus célèbre est celui qu'avait suscité contre la prostitution Josephine Butler, appuyée

1. Eleni Varikas a consacré sa thèse, inédite en français, à ce *Journal des dames* (université Paris-VII, 1989).
2. Alfred et Lucie Dreyfus, *Écris-moi souvent, écris-moi longuement... Correspondance de l'île du Diable*, édition établie par Vincent Duclert, avant-propos de Michelle Perrot, Paris, Mille et Une Nuits, Fayard, 2005.
3. Nicole Racine et Michel Trebitsch (dir.), *Intellectuelles. Du genre en histoire des intellectuels*, Bruxelles, Complexe, 2004 ; *Clio. Histoire, femmes et sociétés*, n° 13, 2001, « Intellectuelles », dirigé par Mathilde Dubesset et Florence Rochefort.

par les révélations scandaleuses de la *Pall Mail Gazette*. Un samedi soir d'août 1885, deux cent cinquante mille personnes affluèrent, un bouquet de roses blanches à la main, à Hyde Park, à Londres, pour dénoncer le vice et défendre la pureté sexuelle de la nation, aux cris de : *Vote for women, purity for men !* Les féministes n'étaient d'ailleurs pas unanimes devant ces relents de puritanisme.

Les féministes reprenaient possession de la rue interdite, non sans malaise tant l'opprobre était fort – « Cela me brûle la peau », disait une manifestante –, par des manifestations aux allures de processions ou de cortèges sagement ordonnés que nous montrent de vieilles photos, et qui faisaient la joie des caricaturistes. De Boston à Londres et à Paris, elles défilent, élégamment vêtues et coiffées ; elles brandissent des bannières ou des pancartes avec slogans, elles déploient des banderoles, se ceignent d'écharpes revendicatives. Entre les deux guerres, en raison de la résistance au droit de vote des femmes, les Françaises intensifient leurs déambulations et distribuent des tracts sur les marchés : « Les Françaises veulent voter », disent-ils. Dans les années 1971-1975, le Mouvement de libération des femmes met les femmes dans la rue, de Berlin à Paris, et partout dans le monde occidental, même à Tokyo. Et, cette fois, on peut parler de « masses ». Désormais, la rue et les mouvements sociaux ne leur font plus peur.

Violentes, ces manifestations de femmes ? Rarement. Hubertine Auclert, la Citoyenne, avec son grand chapeau, intervient dans les mairies, au moment des mariages, pour protester contre les articles du Code civil exigeant des femmes qu'elles promettent obéissance à leur mari. Aimable scandale. Madeleine Pelletier casse quelques vitres, avec des pommes de terre pour éviter tout risque de blessure : c'est plus bruyant. Entre les deux guerres, à l'instigation de Louise Weiss, brillante journaliste, des manifestantes s'enchaînent aux grilles du Sénat, la chambre récalcitrante, et brisent elles-mêmes symboliquement leurs liens. Les suffragettes anglaises, réputées plus «guerrières», vont plus loin. Elles jettent une bombe (sans dégâts), sont emprisonnées, font une grève de la faim, première du genre. Une d'entre elles, Emily Davison (1872-1913), se jette à la tête du cheval du roi au Derby d'Epsom : elle devient l'héroïne du suffragisme ; une folle, disent ses détracteurs. Voilà l'extrême de la violence féministe. Plus souvent, les femmes usent de la fête ou de la dérision. Elles chantent, manient le balai, le slogan ironique – *Le Torchon brûle* –, la banderole assassine. Mais la seule présence de femmes dans la rue, agissant d'elles-mêmes pour leur propre cause, est subversive et ressentie comme une violence.

Le féminisme agit par des personnes, des personnalités, des militantes, qui toutes mériteraient portrait, en tout cas dictionnaire. Ce sont d'abord des isolées, femmes émancipées de la bourgeoisie ou de l'aristocratie (Mary Wollstonecraft, lady Montagu, mère des *bluestockings*, les *bas-bleus*, George Sand, Flora Tristan, etc.). Un temps, le recrutement du féminisme s'élargit aux ouvrières (rôle des couturières). Mais les réticences du mouvement ouvrier, pour lequel le «féminisme est bourgeois», le vouent aux couches moyennes intellectuelles, souvent protestantes : institutrices, avocates (Maria Vérone, Yvonne Netter, Gisèle Halimi), médecins (Madeleine Pelletier), journalistes, écrivaines. La force du MLF des années 1970-1980 a résidé dans l'extension de son soutien populaire : il a donné voix à la revendication massive par les femmes du droit à la libre maternité.

Le féminisme agit par ses alliances, très diverses. Avec le libéralisme qui y voyait un prolongement des libertés, tel John Stuart Mill, l'auteur de *The Subjection of Women* (1869), un classique. Avec le socialisme, du moins dans la première moitié du XIXe siècle.

Saint-Simon, Fourier, Robert Owen, Pierre Leroux surtout rêvaient d'unir les prolétaires et les femmes, jumeaux opprimés. Ensuite, les choses se compliquent. Dans la théorie, qui subordonne la lutte des sexes à la lutte des classes ; dans la pratique du pouvoir, appuyée sur des partis, voire sur la dictature d'un prolétariat très mâle. Entre la virilité du militant et la bonne ménagère, les femmes communistes n'ont guère d'échappatoire.

Le protestantisme a donné au féminisme beaucoup de dirigeantes. La libre-pensée lui a été favorable, tout en se défiant des superstitions des femmes. Maria Deraismes fonde, non sans difficultés, la première Loge féminine de France ; la franc-maçonnerie a joué un rôle notable dans l'adoption des lois Neuwirth et Veil. Le néo-malthusianisme, particulièrement actif aux États-Unis et en Angleterre, a divisé le féminisme. La Britannique Annie Besant, les Françaises Nelly Roussel, Madeleine Pelletier, Gabrielle Petit militaient pour le développement du contrôle des naissances, mais beaucoup répugnaient à aborder les questions de sexualité.

Il existe aussi un féminisme catholique, qui irriguait le syndicalisme chrétien, et la pensée de Cécile de Corlieu et Léontine Xanta, modèle fugitif de la jeune Simone de Beauvoir. « La femme aussi est une personne » titrait en 1936 *Esprit*, la revue d'Emmanuel Mounier, qui, en 1949, donna du *Deuxième Sexe* un compte rendu bienveillant. La doctrine de l'Église, tant sur le pouvoir et le célibat des clercs que sur la contraception et la place des femmes, ne la rendait cependant guère accessible aux revendications du féminisme.

De manière générale, il y a alliance entre féminisme et modernité, entre féminisme et démocratie.

Le féminisme agit comme une houle, par vagues. Au XIXe siècle, il lutte pour l'égalité des sexes, notion relativement neuve, énoncée par les cartésiens au XVIIe siècle, affinée et réitérée ensuite, plus que pour une différence qui risque d'enfermer les femmes dans l'infériorité. Avec de réelles différences selon les pays et les cultures politiques. La culture du genre est plus forte dans les pays anglo-saxons, y compris sous sa variante « maternaliste », dont la Suédoise Ellen Key est la principale apologiste. Elle trouve une particulière résonance en Allemagne et parmi les pacifistes comme la Française Madeleine Vernet.

Dans la seconde moitié du XXe siècle, surtout après 1970, le féminisme lutte pour la « libération » des femmes – *Women's Lib*, MLF – et éventuellement pour l'égalité dans la différence. Les femmes redécouvrent leur corps, leur sexe, le plaisir de l'entre-femmes, l'amitié et l'amour des femmes, la sororité, l'homosexualité. Un lesbianisme qui s'affirme comme une force autonome et qui renouvelle la pensée du genre.

Les grandes revendications du féminisme, nous les avons rencontrées à chaque chapitre de ce récit. Elles tissent cette histoire, avec une temporalité variable selon les pays.

Le *droit au savoir*, non seulement à l'éducation, mais à l'instruction, est sans doute la plus ancienne, la plus constante, la plus largement partagée. Parce qu'il commande tout : l'émancipation, la promotion, le travail, la création, le plaisir. Cette revendication s'accompagne d'un immense effort d'appropriation : lecture, écriture, accès aux enseignements. Avec des démarches un peu différentes. L'universalisme français privilégie l'accès aux grades communs : le baccalauréat pour Julie Daubié, par exemple. Dans les pays anglo-saxons, plus différencialistes, les féministes s'appuient sur des établissements distincts : Emily Davies crée un collège universitaire féminin à Hitchin, puis à Girton (le fameux Girton College) près de Cambridge, la prestigieuse université qui accepta les filles avec réticence seulement en 1948[1]. Malwida von Meysenbug, en 1848-1850, ouvre à Hambourg un collège universitaire féminin aux allures de béguinage. Le féminisme allemand fut pédagogue et éducatif. Rien à voir, cependant, avec l'envergure des universités féminines américaines (telle Wellesley), qui ont formé jusqu'à nos jours une élite féminine dont Hillary Clinton est le produit.

Le *droit au travail, au salaire*, aux métiers et aux professions comporte des dimensions à la fois économiques, juridiques et symboliques, avec des différences sociales évidentes. Les classes populaires ont besoin du salaire des femmes, même si elles le considèrent seulement comme un «appoint». La bourgeoisie délègue le loisir, l'*otium* aristocratique, à ses femmes, portemanteaux de la réussite et du luxe des maris. «Vivre noblement, c'est vivre sans rien faire», disait-on sous l'Ancien Régime. Ce n'est plus envisageable dans le capitalisme. Du moins les femmes garderont-elles ce parfum de cour, ce style de vie mondain qui créent la distinction. C'est pourquoi leur éventuel «travail» suscite l'opprobre; il est ressenti comme une gêne, la marque de la déchéance de la famille, une honte sociale. Les femmes de cette classe durent se faufiler sur le marché du travail, exclusivement par les services, occupations conformes à la féminité.

L'obtention des *droits civils* constitua un troisième front, verrouillé par le droit, qui n'était guère plus favorable en Angleterre qu'en France. La *Common Law* mettait les femmes mariées dans la dépendance totale de leur mari, qui détenait la gestion absolue de leurs biens, y compris de leurs revenus ou salaires propres. Peu différent sur ce point, le code Napoléon (1804), «l'infâme Code civil», fut exporté un peu partout en Europe et dans le

1. Françoise Barret-Ducrocq, *Le Mouvement féministe anglais d'hier à aujourd'hui, op. cit.*

monde. En Angleterre, comme en France, les femmes durent se battre pour la gestion de leurs biens, le droit au divorce, le droit au travail, pour l'égalité dans le régime de la communauté, la reconnaissance de l'autorité parentale conjointe, etc. Plus tard, pour le choix de la résidence et, aujourd'hui, pour le nom. Chaque fois, ce furent des batailles juridiques épiques.

Une des premières engagées et gagnées fut celle menée par la Britannique Caroline Norton, outrée de voir son mari accaparer ses droits d'auteur, et par Barbara Leigh Smith Bodichon, pour obtenir l'indépendance économique des femmes mariées. Appuyées par des pétitions couvertes de milliers de signatures, dont celles de nombreuses ouvrières, elles réussirent à faire pression sur les parlementaires. Le *Married Women's Property Bill* (1857) fut une première étape, complétée dix ans plus tard par le *Matrimonial Causes Act* (1867), reconnaissant le droit au divorce. Il faut, en France, attendre la IIIᵉ République pour l'obtenir (loi Naquet, 1884). Et des années encore pour la réforme de la gestion des biens. L'obtention des droits civils est particulièrement difficile dans les pays catholiques, en raison de la place sacramentelle du mariage et d'une conception patriarcale de la famille qui se perpétue dans la laïcité. Pourtant, l'égalité civile est la clef du statut individuel de la femme. C'est pourquoi George Sand en faisait un préalable absolu à la revendication de l'égalité politique.

Les *droits politiques* comportent trois volets : le suffrage, la représentation, le gouvernement. Dans tous les domaines, l'Europe du Nord devance celle du Sud. La Finlande a été la première, en 1901, à accorder le droit de vote aux femmes. Elle est, depuis 2000, présidée par une femme, Tarja Halonen, réputée pour sa simplicité. Gouverner n'est jamais que l'administration des choses. En guise d'explication, les Finlandais invoquent une tradition matriarcale, plongeant dans des structures anthropologiques anciennes. Le féminisme protestant fut plus activement suffragiste que son homologue catholique et latin, souvent au nom de la différence, de ce que les femmes pouvaient apporter à la gestion de «ce grand ménage» qu'est l'État. Dans les pays de l'Europe du Nord, les femmes ont voté plus tôt et elles sont parvenues plus tôt au pouvoir. Ces pays n'ont pas hésité à user de mesures incitatives. Les pays latins, plus machistes, vénèrent la mère, mais à la maison.

La France cumule les obstacles culturels, politiques et historiques. La hauteur des barrières a entraîné un certain renoncement de la part des femmes – la politique, est-ce bien sérieux ? – et du féminisme. En 1970, le MLF affiche un certain dédain pour le Parlement : le privé n'est-il pas politique ? Pourtant, le recours à la loi est une constante. La loi française sur la parité en politique est née dans le giron européen. Elle est la plus radicale. Elle a divisé le féminisme en trois courants : favorables au nom de l'égalité des sexes ou au nom de la différence ; et hostile au nom de l'universalisme républicain[1]. Ses résultats effectifs sont pour le moment limités, sa portée symbolique plus forte. Cependant il y a une acculturation des femmes en politique, d'autant plus qu'elles ont exercé et exercent des responsabilités à tous les niveaux du gouvernement : ministres, à la Justice et aux Armées, bastions masculins, et même comme Première ministre. L'opinion trouverait désormais normal, et même souhaitable, de voir une femme accéder à la magistrature suprême. Marianne est descendue des autels. Elle entre dans l'arène.

La revendication et la conquête des *droits du corps* caractérisent

1. Le livre pionnier fut celui de Françoise Gaspard, Anne Le Gall et Claude Servan-Schreiber, *Au pouvoir, citoyennes ! Liberté, égalité, parité*, Paris, Seuil, 1992. Pour une approche historique, cf. Joan W. Scott, *Parité ! L'universel et la différence des sexes*, Paris, Albin Michel, 2005.

le féminisme contemporain. *Our Bodies, Ourselves*[1], le livre du collectif de Boston pour la santé des femmes, vendu à des centaines de milliers d'exemplaires, est emblématique des temps nouveaux. Partout les mouvements de libération des femmes ont mis au premier plan la liberté de contraception et le droit à l'interruption volontaire de grossesse, défendu par Gisèle Halimi, fondatrice de Choisir (1971), au mémorable procès de Bobigny (1972)[2]. En France, la loi Veil (1975) le reconnaît. Et c'est une manière de révolution. « Un enfant si je veux, quand je veux, comme je veux. » Cet *habeas corpus* des femmes (Yvonne Knibiehler) constitue un total renversement des rôles et le ferment d'un bouleversement majeur dans les rapports de sexes. En même temps, dans les années 1980, en France et un peu partout dans le monde occidental, se développent des luttes pour la pénalisation du viol, du harcèlement sexuel au travail, de l'inceste, imprescriptible, des luttes pour la protection des femmes battues. De très nombreuses lois ont été votées, augmentant les contentieux judiciaires. Au point qu'on a pu parler de féminisme d'État et de « victimisation » des femmes, occasion de controverses entre féministes[3]. C'est que le droit est devenu un terrain essentiel, signe de la démocratisation des rapports de sexes.

Enfin, au travers de ce mouvement d'émancipation de longue durée, à l'aide de livres majeurs, dont il faudrait faire une antho-

---

1. En 1973, traduit en français en 1977, publié chez Albin Michel sous le titre *Notre corps, nous-mêmes*.
2. Choisir la cause des femmes, *Le Procès de Bobigny*, sténotypie intégrale des débats du tribunal de Bobigny (8 novembre 1972), Paris, Gallimard, 1973, préface de Simone de Beauvoir ; nouvelle édition 2006, avant-propos inédit de Gisèle Halimi ; postface de Marie-Claire, l'inculpée de Bobigny, « Je me souviens de tout » (août 2005).
3. Élisabeth Badinter, *Fausse route*, Paris, Odile Jacob, 2003.

logie – de Christine de Pisan à Virginia Woolf, de Marie de Gournay, Mary Wollstonecraft à Lou Andreas-Salomé, Simone de Beauvoir, Monica Wittig, Judith Butler, Françoise Collin, etc. –, se dessine une *pensée féministe*, volontiers critique d'un universel virtuel plus que réel, et qui pose la question de l'identité, de la différence et de la hiérarchie des sexes. Elle s'interroge sur le *genre* et ses rapports avec le sexe : lequel précède l'autre ? Lequel définit l'autre ? Elle parle de l'homosexualité, du lesbianisme, non seulement droit personnel, mais nouvelle manière d'être au monde. La pensée *queer* brouille les pistes et les frontières[1].

Le féminisme suscite un antiféminisme plus ou moins virulent[2], qui va de la caricature misogyne à la critique politique la plus radicale (antiféminisme de Vichy).

Il n'est pas facile de mesurer ses effets. Moyen de pression au service des femmes les plus privilégiées ? Sans doute. Mais doit-on, comme Pierre Bourdieu[3], le réduire à ce lobbying ? Dans le jeu d'interactions qui tissent la société, on peut le créditer au minimum d'un rôle dans la modernisation des rapports entre les sexes qui marque l'histoire contemporaine.

Il a constitué les femmes en actrices sur la scène publique. Il a donné forme à leurs aspirations, voix à leur désir. Il a été un agent décisif d'égalité et de liberté. Donc de démocratie.

« Toute l'histoire des femmes a été faite par les hommes, disait Simone de Beauvoir. Le féminisme n'a jamais été un mouvement autonome. »

On peut, sur ce point, penser autrement.

---

1. Marie-Hélène Bourcier, *Queer Zones. Politiques des identités sexuelles, des représentations et des savoirs*, Paris, Balland, 2001.
2. Christine Bard (dir.), *Un siècle d'antiféminisme*, Paris, Fayard, 1999.
3. Pierre Bourdieu, *La Domination masculine*, Paris, Seuil, 1998.

Et maintenant ?

Durant ces cinq chapitres, nous avons suivi, au travers de l'histoire des femmes, plusieurs chemins, tracé quelques diagonales : sources et représentations ; le corps ; l'âme (religion, éducation, création) ; le travail et la profession ; femmes dans la Cité… : ces thèmes nous ont retenus. Avec une interrogation constante : quels sont, quels ont été, le long de ces frontières, les changements des rapports entre les sexes ? Comment a évolué la différence des sexes ? Selon quel tempo, autour de quels événements ? Comment se sont modifiés les partages entre les hommes et les femmes, leurs identités et leur hiérarchie ?

Ce qui me frappe surtout, au terme de ce parcours, c'est l'immensité de ce que je n'ai pas dit ou pas abordé, au risque d'accentuer encore, en éclairant des points particuliers, l'ombre que justement j'aurais voulu dissiper. S'agissant de la santé des femmes, j'aurais pu parler de la folie[1], qu'on leur a si longtemps octroyée, comme le symétrique de la violence pour les hommes : les femmes sont folles et les hommes, criminels. Ce qui est une façon de river les femmes à leur corps et à leur irresponsabilité supposée.

En matière de délinquance et de criminalité, il existe en effet, et depuis longtemps (mais cela s'est accentué dans les dernières

---

1. Yannick Ripa, *La Ronde des folles. Femmes, folie et enfermement au XIXe siècle*, Paris, Aubier, 1986.

années), une troublante dissymétrie. En France, les prisons sont peuplées d'hommes, à 96 %. Les 4 % de femmes incarcérées étant d'ailleurs les plus abandonnées, les plus marginalisées de toutes, comme si elles contrevenaient particulièrement à la norme du féminin. Jadis, Saint-Lazare fut un épicentre de solidarité féminine ; ce n'est plus le cas de Rennes, la seule centrale de femmes en France aujourd'hui. Cette dissymétrie carcérale est-elle l'expression d'une exaspération de la violence des hommes ? ou d'une victimisation accrue des femmes, que dénoncent certains avocats ? Un peu les deux sans doute. Mais cela pose problème. Symptôme, mais de quoi ?

Je n'ai pas parlé des femmes handicapées. L'altérité radicale, qu'entraîne le handicap, accuse-t-elle ou annule-t-elle la différence des sexes [1] ?

Je n'ai pas parlé des femmes dans l'esclavage. Quelle a été la part et la place des femmes dans les traites négrières, qui ont bouleversé la vie de l'Afrique et de l'Amérique ? Que faisaient-elles ? Comment étaient utilisées leurs qualités domestiques et leur fonction maternelle ? Furent-elles des éléments d'adaptation, de résistance, de mémoire ? De quelles sources dispose-t-on pour les retrouver [2] ? On pense aux livres de Toni Morrison (*Beloved*).

Je n'ai pas parlé des femmes dans la Shoah. Dans la déportation et l'extermination des juifs, qu'importait la différence des

---

1. C'est toute la question que posent Maudy Piot et son association, la FDFA (Femmes pour le dire, femmes pour agir). Cf. le livre majeur d'Henri-Jacques Stiker, *Corps infirmes et sociétés. Essais d'anthropologie historique* (1982), 3ᵉ éd., Paris, Dunod, 2005.
2. Hannah Crafts, édition établie par Henry Louis Gate Jr., 2002 ; traduction française, *Autobiographie d'une esclave*, Paris, Payot, 2005. Cette biographie romancée serait le premier livre écrit par une Noire avant la guerre de Sécession.

sexes ? Le fait que la judéité se transmette par les femmes avait-il une conséquence[1] ? Dans certains conflits ethniques, qu'il n'est pas question de comparer avec la Shoah, comme les guerres dans l'ex-Yougoslavie, le corps des femmes fut un enjeu majeur, et, à Srebrenica, le viol a été systématiquement employé comme arme de guerre[2].

Dans tous ces cas, il s'agit surtout des femmes aux prises avec la violence, la guerre, et avec des formes de domination masculine, dont les hommes sont aussi victimes. Pourtant, celle-ci est loin d'épuiser les relations entre les hommes et les femmes, pas plus que le statut de victime ne résume dans l'histoire celui des femmes, qui savent résister, exister, construire leurs pouvoirs. L'histoire n'est pas davantage celle du malheur des femmes que de leur bonheur. Les femmes sont actrices de l'histoire : j'espère l'avoir suggéré et montré, refusant toute perspective manichéenne des sexes en blanc et en noir. Les femmes ne sont pas toujours opprimées, et il leur arrive d'exercer un pouvoir, voire une oppression. Elles n'ont pas toujours raison. Il leur arrive d'être heureuses, et amoureuses. Écrire leur histoire n'est pas un moyen de réparation, mais désir de compréhension, d'intelligibilité globale.

Si je regarde le chemin parcouru, d'autres limites me frappent, *dans le temps et l'espace*. J'ai parlé surtout d'histoire moderne et plus encore contemporaine, qui m'est plus familière et qui dispose de sources beaucoup plus abondantes. L'apport de l'histoire antique et médiévale est pourtant considérable. Moins empêtrés dans les sources, nos collègues imaginent et pensent plus que

1. Jacques Fijalkow (dir.), *Juives et non-juives. Souffrances et résistances*, Paris, Max Chaleil, 2004 (colloque de Lacaune).
2. Véronique Nahoum-Grappe, « Guerre et différence des sexes : les viols systématiques (ex-Yougoslavie, 1991-1995) », *in* Cécile Dauphin et Arlette Farge (dir.), *De la violence et des femmes*, Paris, Albin Michel, 1997.

nous, esclaves de la référence. Les volumes que Christiane Kla-pisch-Zuber et Pauline Schmitt Pantel ont dirigés dans *Histoire des femmes en Occident* sont irrigués par le regard anthropo-logique et la respiration mythique, ou mystique. C'est vrai dans le domaine des représentations, des religions, mais aussi du droit, des relations familiales, dans la vie quotidienne et même dans l'action politique. Tout récemment, Anne Brenon décrit l'engagement des femmes cathares dans l'Occitanie médiévale, cet attrait pour les contre-conduites signalé à propos des béguines[1].

Même la préhistoire est revisitée par la différence des sexes. Claudine Cohen[2] montre comment le regard sur la *femme des origines* a changé, surtout sous l'influence de la recherche américaine. Au départ androcentrique, la préhistoire interprétait les traces des femmes dans un sens religieux, érotique ou mythique (la Grande Déesse). Elle tend aujourd'hui à restituer à cette femme des ori-gines sa place dans la diversité des rôles sociaux et sexuels et dans la vie quotidienne. Cela permettra peut-être de sortir d'une vision stéréotypée des rôles des sexes, sans pour autant retomber dans les thèses discréditées d'un matriarcat originel.

Ceci nous invite à élargir les frontières temporelles. Mais aussi les frontières spatiales. À sortir du monde occidental, d'autant plus que l'histoire des femmes et du genre s'est beaucoup déve-loppée en Extrême-Orient, du moins en Inde et au Japon, en Amérique latine, particulièrement au Brésil (centres d'études très vivants à Campinas, Rio, Florianopolis), et même en Afrique, où il n'est pourtant pas facile de sortir de représentations ethno-

---

1. Anne Brenon, *Les Femmes cathares*, Paris, Perrin, 1992, rééd. 2005.
2. Claudine Cohen, *La Femme des origines. Images de la femme dans la pré-histoire occidentale*, op. cit.

logiques un peu figées. Pourtant, les femmes participent au développement du commerce et à l'essor urbain[1].

L'histoire des femmes, en devenant mondiale, pose la question de la diversité des expériences et celle des valeurs universelles. Notamment en ce qui concerne l'islam, dont on sait le rôle dans le choc des civilisations. Or, la différence des sexes y est centrale, et plus complexe qu'on ne le croit. Voici un livre de Habiba Fathi[2] sur les femmes d'autorité dans l'Asie centrale contemporaine. Il repose sur une enquête de terrain, menée entre 1995 et 1999. Dans les pays qui constituent l'Asie centrale postsoviétique (Ouzbékistan, Turkménistan…), des femmes accèdent aux fonctions d'autorité. On les appelle les *otin*: « Un homme de Dieu dans le monde des femmes. » Elles ont préservé une culture religieuse traditionnelle et c'est principalement à elles que l'on doit le fait que ces pays soient restés musulmans. Mais aujourd'hui, elles se heurtent au néo-wahhabisme, qui cherche à imposer un autre islam, beaucoup plus fondamentaliste et machiste. Ainsi, dans cette Asie centrale musulmane, les femmes se trouvent au cœur de la question du pouvoir d'État et de l'identité nationale. L'histoire des femmes est en l'occurrence centrale et Olivier Roy, dans sa préface, l'incite à se penser comme telle et à sortir de sa marginalité. Ce qu'il dit est valable pour l'ensemble de cette histoire, travaillée par la tentation de la clôture. La plongée dans les pratiques, les lieux, les vies de femmes, est attirante. Il y a un plaisir de la chambre, du jardin fermé, de l'entre-soi, du secret, du repli sur un monde intérieur plus doux. Mais sa jouissance ne doit pas

1. Catherine Coquery-Vidrovitch, *Les Africaines. Histoire des femmes d'Afrique noire du XIXe au XXe siècle*, Paris, Desjonquères, 1994.
2. Habiba Fathi, *Femmes d'autorité dans l'Asie centrale contemporaine. Quête des ancêtres et recompositions identitaires dans l'islam postsoviétique*, préface d'Olivier Roy, Paris, Maisonneuve et Larose, 2004.

empêcher de démêler l'écheveau où s'imbriquent les rapports des sexes. Doublement séduisante, la démarche d'Habiba Fathi a valeur générale et portée particulière. Elle relativise la différence culturelle et religieuse et invite à l'analyser dans son fonctionnement interne.

On pourrait l'appliquer au *voile*. Venu des rives de la Méditerranée, institué, d'abord par le christianisme, comme signe de la dépendance des femmes, qu'il demeure fondamentalement, le voile peut revêtir un autre sens dans l'usage que les femmes en font, au Maghreb et même en France : une protection, un viatique, une parure, un moyen plus sûr de circuler dans un quartier ou une ville hostiles, en échappant au regard d'autrui. C'est ce que suggère Assia Djebar dans ses romans – *Femmes d'Alger dans leur appartement*; *L'Amour, la Fantasia*; *La Femme sans sépulture*, tant d'autres –, pénétrés de cette culture féminine algérienne, dont elle vient et qu'elle transcende sans la renier. Bien entendu, ce relativisme a des limites : celles d'un universel, non pas donné, immanent, mais conquis, construit peu à peu, et qui passe par l'égalité des sexes, l'intégrité du corps, l'autonomie des individus. Un universel en devenir, inachevé, peut-être inachevable. Terme inaccessible d'une histoire sans fin.

Aujourd'hui ? Où en est l'histoire des femmes ? En tant que récit, elle existe à des degrés divers un peu partout dans le monde, occidental surtout. Elle a constitué une forme de prise de conscience identitaire, une tentative de mémoire, et surtout de relecture des événements et des évolutions à l'aune de la différence des sexes, c'est-à-dire du *genre*. Dans ses flancs, se développe une histoire des hommes et de la masculinité[1]. En France,

---

1. Anne-Marie Sohn et Françoise Thélamon (dir.), « Vers une histoire de la masculinité », in *L'histoire sans les femmes est-elle possible ?*, Paris, Perrin, 1998,

c'est un champ actif, productif, doté de groupes, de revues, mieux reconnu dans le public que dans l'université elle-même, qui demeure timide devant l'agrément de champs nouveaux, ou récents, surtout quand elle suspecte des risques de communautarisme.

Et les femmes dans l'histoire ? Impossible bilan, qui oscille selon les jours et les événements, entre l'optimisme de la conquête (« On a gagné ») et le scepticisme du sentiment de l'illusion. Dans le *monde occidental*, l'égalité des sexes, tardivement identifiée, est devenue un principe reconnu, jusque dans la Constitution européenne. Les femmes ont accédé à bien des domaines du savoir et du pouvoir qui leur étaient interdits, y compris militaires et politiques. Elles ont conquis bien des libertés. Surtout, la liberté de la contraception, qui est le cœur de la révolution sexuelle. On ne boudera pas son plaisir.

Toutefois, entre théorie et pratique, bien des écarts subsistent. Ainsi dans l'accès aux responsabilités, aux professions, à l'égalité salariale, etc. Des zones résistent : le religieux, l'économique, le politique, surtout en France, le domestique qui se partage si peu. La création qui se dérobe. Souvent, les frontières se déplacent, mais des terrains d'excellence masculine se reconstituent. Tant la hiérarchie des sexes est loin d'être dissoute. Les acquis sont fragiles, réversibles. Des retours en arrière sont toujours possibles. Les intégrismes politiques et religieux font de l'ordre des sexes et de la dépendance des femmes un de leurs leviers. Des effets pervers, inattendus, se produisent : solitude, affrontement, violence, conjugale et autres, peut-être plus visible ou réellement aggravée par l'angoisse identitaire, marquent des rapports de sexes souvent tendus.

p. 251-312 ; cf. les travaux d'André Rauch et ceux de Daniel Welzer-Lang (*Les Hommes violents*, Paris, Pierre et Coudrier, 1991).

À l'échelle planétaire, la mondialisation, au moins dans un premier temps, fragilise les plus faibles, dont les femmes, exposées à la paupérisation, à la faim, aux guerres nationales et ethniques qui touchent surtout les civils, au sida galopant, surtout en Afrique, à la prostitution dont les réseaux s'étendent, contredisant la vision triomphante d'une sexualité libérée. L'histoire des femmes est aussi tragique que celle des hommes.

Ainsi, la révolution sexuelle, dont nous avons tenté de prendre la mesure, est inachevée. Au vrai, interminable. Là, pas plus qu'ailleurs, il n'y a de « fin de l'histoire ». Impossible donc de clore son récit. On peut dire « il était une fois ». Invoquer d'obscurs commencements. Dire le début. Mais pas la « fin ».

Histoire à suivre. Histoire à faire, aussi.

Bibliographie[1]

OUVRAGES GÉNÉRAUX

En guise d'introduction

BEAUVOIR, Simone de, *Le Deuxième Sexe*, Paris, Gallimard, 1949.

BOURDIEU, Pierre, *La Domination masculine*, Paris, Seuil, 1998.

BUTLER, Judith, *Trouble dans le genre. Pour un féminisme de la subversion*, Paris, La Découverte, 2005 (trad. de l'américain, 1990).

GOFFMAN, Erving, *L'Arrangement des sexes*, Paris, La Dispute, 2002 (trad. de l'américain, 1977), présenté par Claude Zaidman.

HÉRITIER, Françoise, *Masculin/Féminin. I, La Pensée de la différence*, Paris, Odile Jacob, 1996 ; *II, Dissoudre la hiérarchie*, Paris, Odile Jacob, 2002.

LAUFER, Jacqueline, MARRY, Catherine et MARUANI, Margaret, *Le Travail du genre. Les sciences sociales du travail à l'épreuve des différences de sexe*, Paris, La Découverte/MAGE, 2003.

MARUANI, Margaret (dir.), *Femmes, genre et sociétés. L'état des savoirs*, Paris, La Découverte, 2005.

MEAD, Margaret, *Sex and Temperament in Three Primitive Societies*, 1935, trad. fr., *Mœurs et sexualité en Océanie*, Paris, Plon, 1963.

–, *L'Un et l'Autre Sexe*, Paris, Denoël-Gonthier, 1966 (trad. de l'américain, 1949).

---

1. Cette bibliographie n'est pas exhaustive. Principalement de langue française, elle donne les références des livres cités ou principalement utilisés, dont certains, indiqués en notes, ne sont pas repris ici.

SCOTT, Joan W., *Gender and the Politics of History*, Columbia University Press, 1988.

TILLION, Germaine, *Le Harem et les Cousins* (1966), Paris, Seuil, coll. «Points», 2000 (un classique sans cesse réédité sur la condition des femmes dans le pourtour méditerranéen).

Historiographie, sources, méthodes

DUBY, Georges et PERROT, Michelle (dir.), *Femmes et histoire*, Paris, Plon, 1992.

FRAISSE, Geneviève, *Les Femmes et leur histoire*, Paris, Gallimard, coll. «Folio», 1998.

LEDUC, Guyonne (dir.), *Nouvelles sources et nouvelles méthodologies de recherche dans les études sur les femmes*, Paris, L'Harmattan, 2004.

PERROT, Michelle, *Les Femmes ou les Silences de l'histoire*, Paris, Flammarion (1998); en poche, Flammarion, coll. «Champs», 2001.

SOHN, Anne-Marie et THÉLAMON, Françoise (dir.), *Une histoire sans les femmes est-elle possible?*, actes du colloque de Rouen, Paris, Perrin, 1998.

THÉBAUD, Françoise, *Écrire l'histoire des femmes*, ENS-Fontenay, 1998 (la meilleure mise au point historiographique; importante bibliographie).

Histoires générales

DUBY, Georges et PERROT, Michelle (dir.), *Histoire des femmes en Occident*, 5 vol., Paris, Plon, 1991-1992; en poche, Perrin, coll. «Tempus», 2001: 1, *L'Antiquité*, Pauline Schmitt Pantel (dir.); 2, *Le Moyen Âge*, Christiane Klapisch-Zuber (dir.); 3, *Temps modernes*, Arlette Farge et Natalie Z.-Davis (dir.); 4, *Le XIXe siècle*, Geneviève Fraisse et Michelle Perrot (dir.); 5, *Le XXe siècle*, Françoise Thébaud (dir.).

FAURÉ, Christine (dir.), *Encyclopédie politique et historique des femmes*, Paris, PUF, 1997.

COLLIN, Françoise, PISIER, Évelyne et VARIKAS, Eleni, *Les Femmes de Platon à Derrida. Anthologie critique*, Paris, Plon, 2000 (recueil de textes philosophiques commentés).

Des manuels commodes

BARD, Christine, *Les Femmes dans la société française au XXe siècle*, Paris, Armand Colin, 2000.

BEAUVALET-BOUTOUYRIE, Scarlett, *Les Femmes à l'époque moderne (XVIe-XVIIIe siècles)*, Paris, Belin, coll. «Belin sup/histoire», 2003.

GODINEAU, Dominique, *Les Femmes dans la société française, XVIe-XVIIIe siècle*, Paris, Armand Colin, 2003.

HUFTON, Olwen, *A History of Women in Western Europe. I, 1500-1800*, Londres, HarperCollins Publishers, 1995.

RIPA, Yannick, *Les Femmes dans l'histoire, France, 1789-1945*, Paris, SEDES, 1999.

ZANCARINI-FOURNEL, Michelle, *Histoire des femmes en France, XIXe-XXe siècles*, Rennes, Presses universitaires, 2005.

BIBLIOGRAPHIE SÉLECTIVE SELON LES THÈMES

Discours et images

AGULHON, Maurice, *Marianne au combat*, Paris, Flammarion, 1979.

–, *Marianne au pouvoir*, Paris, Flammarion, 1989.

–, *Les Métamorphoses de Marianne*, Paris, Flammarion, 2001.

BASCH, Françoise, *Les Femmes victoriennes: roman et société*, Paris, Payot, 1979.

BONNET, Marie-Jo, *Les Femmes dans l'art*, Paris, La Martinière, 2004.

COHEN, Claudine, *La Femme des origines. Images de la femme dans la préhistoire occidentale*, Paris, Belin-Herscher, 2003.

DUBY, Georges (dir.), *Images de femmes*, Paris, Plon, 1992.

HEINICH, Nathalie, *États de femme. L'identité féminine dans la fiction occidentale*, Paris, Gallimard, 1992.

MICHAUD, Stéphane, *Muse et madone. Visages de la femme de la Révolution française aux apparitions de Lourdes*, Paris, Seuil, 1985.

SCHMITT, Jean-Claude (dir.), *Ève et Pandora. La création de la première femme*, Paris, Gallimard, coll. « Le temps des images », 2001.

SELLIER, Geneviève, *La Drôle de guerre des sexes du cinéma français, 1930-1956*, Paris, Nathan, 1996.

–, *La Nouvelle Vague. Un cinéma au masculin singulier*, Paris, CNRS éditions, 2005.

VEYNE, Paul, LISSARAGUE, François et FRONTISI-DUCROUX, Françoise, *Les Mystères du gynécée*, Paris, Gallimard, coll. « Le temps des images », 1998.

Femmes dans les archives (publiques et privées)

FARGE, Arlette, *Vivre dans la rue à Paris au XVIIIe siècle*, Paris, Gallimard, coll. « Archives », 1979.

–, *La Vie fragile. Violence, pouvoirs et solidarités à Paris au XVIIIe siècle*, Paris, Hachette, 1986.

LEJEUNE, Philippe, *Le Moi des demoiselles. Enquête sur le journal de jeune fille*, Paris, Seuil, 1993.

PLANTÉ, Christine, *L'Épistolaire, un genre féminin ?*, Paris, Honoré Champion, 1998.

ROCHE, Anne et TARANGER, Marie-Claude, *Celles qui n'ont pas écrit. Récits de femmes dans la région marseillaise, 1914-1945*, Aix-en-Provence, Édisud, 1995, préface de Philippe Lejeune (un très bon exemple d'histoire orale).

SOHN, Anne-Marie, *Chrysalides. Femmes dans la vie privée, XIXe-XXe siècles*, Paris, Publications de la Sorbonne, 1996 (d'après les archives judiciaires).

Voix de femmes dans les bibliothèques

ADLER, Laure, *À l'aube du féminisme. Les premières femmes journalistes (1830-1850)*, Paris, Payot, 1979.

THÉBAUD, Françoise (dir.), *Pas d'histoire sans elles*, Centre régional de documentation pédagogique Orléans-Tours, 2004 (édité à l'occasion des *Rendez-vous de l'histoire* de Blois, 2004, consacrés aux femmes dans l'histoire).

THIESSE, Anne-Marie, *Le Roman du quotidien. Lectures et lecteurs à la Belle Époque*, Paris, Le Chemin vert, 1983.

TILLIER, Annick, *Des sources pour l'histoire des femmes : guide*, Paris, Bibliothèque nationale de France, 2004.

—, (dir.), numéro spécial «Femmes» de la *Revue de la Bibliothèque nationale de France*, n° 17, 2004.

Le corps

ALBERT, Nicole G., *Saphisme et décadence dans Paris fin-de-siècle*, Paris, La Martinière, 2005.

BADINTER, Élisabeth, *L'Amour en plus. Histoire du sentiment maternel, XVIIe - XXe siècle*, Paris, Flammarion, 1980.

—, *L'un est l'autre : des relations entre hommes et femmes*, Paris, Odile Jacob, 1986.

BARD, Christine, *Les Garçonnes. Modes et fantasmes des Années folles*, Paris, Flammarion, 1998.

BARRET-DUCROCQ, Françoise, *L'Amour sous Victoria. Sexualité et classes populaires à Londres au XIXe siècle*, Paris, Plon, 1989.

BASCH, Françoise, *Rebelles américaines au XIXe siècle : mariage, amour libre et politique*, Paris, Klincksieck, 1990.

BEAUVALET-BOUTOUYRIE, Scarlett, *Naître à l'hôpital au XIXe siècle*, Paris, Belin, 1998.

—, *Être veuve sous l'Ancien Régime*, Paris, Belin, 2001.

BOLTANSKI, Luc, *La Condition fœtale. Une sociologie de l'engendrement et de l'avortement*, Paris, Gallimard, 2004.

BONNET, Marie-Jo, *Un choix sans équivoque. Recherches historiques sur les relations amoureuses entre les femmes*, Paris, Denoël, 1981.

–, *Les Relations entre les femmes*, Paris, Odile Jacob, 1995 (édition revue et augmentée).

BOUREAU, Alain, *Le Droit de cuissage. La fabrication d'un mythe*, Paris, Albin Michel, 1995.

BROSSAT, Alain, *Les Tondues. Un carnaval moche*, Paris, Manya, 1992.

BRUIT, Louise, HOUBRE, Gabrielle, KLAPISCH-ZUBER, Christiane et SCHMITT PANTEL, Pauline (dir.), *Le Corps des jeunes filles de l'Antiquité à nos jours*, Paris, Perrin, 2001.

CAMPORESI, Pierre, *Les Baumes de l'amour*, Paris, Hachette, 1990.

CORBIN, Alain, *Les Filles de noce. Misère sexuelle et prostitution au XIXᵉ siècle*, Paris, Aubier, 1978.

–, COURTINE, Jean-Jacques et VIGARELLO, Georges (dir.), *Histoire du corps*, 3 vol., Paris, Seuil, 2005-2006.

DAUMAS, Maurice, *La Vie conjugale au XVIIIᵉ siècle*, Paris, Perrin, 2004.

DAUPHIN, Cécile et FARGE, Arlette (dir.), *De la violence et des femmes*, Paris, Albin Michel, 1997.

–, *Séduction et sociétés. Approches historiques*, Paris, Albin Michel, 2001.

DUBY, Georges, *Mâle Moyen Âge. De l'amour et autres essais*, Paris, Flammarion, 1988.

–, *Le Chevalier, la Femme et le Prêtre. Le mariage dans la France féodale*, Paris, Hachette, 1981.

EDELMAN, Nicole, *Les Métamorphoses de l'hystérique au XIXᵉ siècle*, Paris, La Découverte, 2003.

FOUCAULT, Michel, *La Volonté de savoir*, t. 1 de *Histoire de la sexualité*, Paris, Gallimard, 1976.

–, *Herculine Barbin dite Alexina B*, Paris, Gallimard, coll. « Les vies parallèles », présenté par Michel Foucault, 1978.

GAUTHIER, Xavière, *Naissance d'une liberté. Contraception, avortement : le grand combat des femmes au XXᵉ siècle*, Paris, Robert Laffont, 2002.

GÉLIS, Jacques, *L'Arbre et le Fruit. La naissance dans l'Occident moderne, XVIe-XIXe siècles*, Paris, Fayard, 1984.

HENRIOT, Christian, *Belles de Shanghai. Prostitution et sexualité en Chine aux XIXe-XXe siècles*, Paris, CNRS éditions, 1997.

HOUBRE, Gabrielle, *La Discipline de l'amour. L'éducation sentimentale des filles et des garçons au XIXe siècle*, Paris, Plon, 1997.

– (dir.), «Le temps des jeunes filles», *Clio. Histoire, femmes et sociétés*, n° 4, 1996.

KNIBIEHLER, Yvonne, *La Révolution maternelle depuis 1945. Femmes, maternité, citoyenneté*, Paris, Perrin, 1997.

– et MARAND-FOUQUET, Catherine, *Histoire des mères du Moyen Âge à nos jours*, Paris, Montalba, 1980; rééd. Paris, Hachette, coll. «Pluriel», 1982.

LAMBIN, Rosine, *Le Voile des femmes. Un inventaire historique, social et psychologique*, Berne, Peter Lang, 1999.

LAQUEUR, Thomas, *La Fabrique du sexe. Essai sur le corps et le genre en Occident*, Paris, Gallimard, 1992 (trad. de l'américain, 1990).

LE NAOUR, Jean-Yves et VALENTI, Catherine, *Histoire de l'avortement, XIXe-XXe siècle*, Paris, Seuil, 2003.

LOUIS, Marie-Victoire, *Le Droit de cuissage, France, 1860-1930*, Paris, L'Atelier, 1994.

MOSSUZ-LAVAU, Janine, *Les Lois de l'amour: les politiques de la sexualité en France de 1950 à nos jours*, Paris, Payot, 1991.

MURARO, Luisa, *L'Ordre symbolique de la mère*, Paris, L'Harmattan, 2003 (trad. de l'italien, 1991).

PIGEOT, Jacqueline, *Femmes galantes, femmes artistes dans le Japon ancien (XIe-XIIIe siècle)*, Paris, Gallimard, 2003.

RIPA, Yannick, *La Ronde des folles. Femmes, folie et enfermement au XIXe siècle*, Paris, Aubier, 1986.

SÈVEGRAND, Martine, *Les Enfants du Bon Dieu. Les catholiques français et la procréation (1919-1969)*, Paris, Albin Michel, 1995.

SMITH, Bonnie, *Les Bourgeoises du nord de la France*, Paris, Perrin, 1989 (trad. de l'américain, 1981).

SOHN, Anne-Marie, *Du premier baiser à l'alcôve. La sexualité des Français au quotidien, 1850-1950*, Paris, Aubier, 1996.

STEINBERG, Sylvie, *La Confusion des sexes. Le travestissement, de la Renaissance à la Révolution*, Paris, Fayard, 2001.

TAMAGNE, Florence, *Histoire de l'homosexualité en Europe. Berlin, Londres, Paris, 1919-1939*, Paris, Seuil, coll. «L'univers historique», 2000.

TARAUD, Christelle, *La Prostitution coloniale. Algérie, Tunisie, Maroc, 1830-1962*, Paris, Payot, 2003.

TERRET, Thierry (dir.), *Sport et genre*, 4 vol., Paris, L'Harmattan, 2006.

TILLIER, Annick, *Des criminelles au village. Femmes infanticides en Bretagne (XIXᵉ siècle)*, Rennes, Presses universitaires, 2002.

VERDIER, Yvonne, *Façons de dire, façons de faire. La laveuse, la couturière, la cuisinière, la femme qui aide*, Paris, Gallimard, 1979.

VIGARELLO, Georges, *Histoire du viol, XVIᵉ- XXᵉ siècle*, Paris, Seuil, 1998.

–, *Histoire de la beauté. Le corps et l'art d'embellir de la Renaissance à nos jours*, Paris, Seuil, 2004.

VIRGILI, Fabrice, *La France «virile». Des femmes tondues à la Libération*, Paris, Payot, 2000.

L'âme

AGACINSKI, Sylviane, *Métaphysique des sexes. Masculin/Féminin aux sources du christianisme*, Paris, Seuil, 2005.

BASHKIRTSEFF, Marie, *Journal (1877-1879)*, Lausanne, L'Âge d'homme, 1999 (dans le cadre du projet de publication intégrale, par Lucile Le Roy).

BECHTEL, Guy, *La Sorcière et l'Occident*, Paris, Plon, 1997.

–, *Les Quatre Femmes de Dieu. La putain, la sorcière, la sainte et Bécassine*, Paris, Plon, 2000.

Berthe Morisot, Catalogue de l'exposition de Lille (2002), Paris, Réunion des Musées nationaux, 2002.

BONNET, Marie-Jo, *Les Deux Amies. Essai sur le couple de femmes dans l'art*, Paris, éditions Blanche, 2000.

–, en préparation : *Guide des femmes artistes dans les musées de France*.

BREDIN, Jean-Denis, *Une singulière famille (les Necker)*, Paris, Fayard, 1999.

CERCOR (collectif), *Les Religieuses dans le cloître et dans le monde* (colloque, Poitiers, 1988), université de Saint-Étienne, 1994.

CHOLVY, Gérard (dir.), *La Religion et les Femmes (colloque de Bordeaux, 2001)*, Montpellier, université Paul-Valéry, 2002.

COHEN, Esther, *Le Corps du diable. Philosophes et sorcières à la Renaissance*, Paris, Léo Scheer, 2004 (trad. de l'espagnol, 2003).

COSNIER, Colette, *Marie Bashkirtseff. Un portrait sans retouches*, Paris, Horay, 1985.

DAVIS, Natalie Z., *Juive, catholique, protestante. Trois femmes en marge au XVIIe siècle*, Paris, Seuil, coll. « La Librairie du XXe et du XXIe siècle », trad. de l'américain, 1997.

DELUMEAU, Jean (dir.), *La Religion de ma mère. Le rôle des femmes dans la transmission de la foi*, Paris, Cerf, 1992.

DUQUESNE, Jacques, *Marie*, Paris, Plon, 2004.

FAVRET-SAADA, Jeanne, *Les Mots, la Mort, les Sorts*, Paris, Gallimard, 1985.

FRAISSE, Geneviève, MÉNARD-DAVID, Monique et TORT, Michel, *L'Exercice du savoir et la Différence des sexes*, Paris, L'Harmattan, 1991.

FRIANG, Michèle, *Augusta Holmès ou la Gloire interdite. Une femme compositeur au XIXe siècle*, Paris, Autrement, 2003.

GOULD, Steven G., *La Mal-Mesure de l'homme*, Paris, Odile Jacob, 1997.

HECQUET, Michèle (dir.), *L'Éducation des filles au temps de George Sand*, Arras, Presses universitaires d'Artois, 1998.

HIGONNET, Anne, *Berthe Morisot, une biographie, 1841-1895*, Paris, Adam Biro, 1989 (trad. de l'américain, 1988).

HOOCK-DEMARLE, Marie-Claire, *La Femme au temps de Goethe*, Paris, Stock, 1987.

KRISTEVA, Julia, *Le Génie féminin. La vie, la folie, les mots. Hannah Arendt, Melanie Klein, Colette*, Paris, Fayard, 3 vol., 1999-2001.

LANGLOIS, Claude, *Le Catholicisme au féminin. Les congrégations françaises à supérieure générale au XIXᵉ siècle*, Paris, Cerf, 1984.

LE DOEUFF, Michèle, *Le Sexe du savoir*, Paris, Aubier, 1998.

LEDUC, Guyonne, *L'Éducation des Anglaises au XVIIIᵉ siècle. La conception de Henry Fielding*, Paris, L'Harmattan, 1999.

– (dir.), *L'Éducation des femmes en Europe et en Amérique du Nord. De la Renaissance à 1848*, Paris, L'Harmattan, 1997.

MAÎTRE, Jacques, *Mystique et féminité. Essai de psychanalyse socio-historique*, Paris, Cerf, 1997.

MAYEUR, Françoise, *L'Éducation des filles en France au XIXᵉ siècle*, Paris, Hachette, 1979.

NOËL, Denise, « Les femmes peintres dans la seconde moitié du XIXᵉ siècle », *Clio. Histoire, femmes et sociétés*, « Femmes et images », n° 19, 2004, p. 85-103.

OZOUF, Mona, *Les Mots des femmes. Essai sur la singularité française*, Paris, Fayard, 1995.

PLANTÉ, Christine, *La Petite Sœur de Balzac. Essai sur la femme auteur*, Paris, Seuil, 1989.

REID, Martine, *Signer Sand. L'œuvre et le nom*, Paris, Belin, coll. « L'extrême contemporain », 2003.

ROGERS, Rebecca (dir.), *La Mixité dans l'éducation. Enjeux passés et présents*, Paris, ENS éditions, 2004, préface de Geneviève Fraisse.

SALLMANN, Jean-Michel, *Les Sorcières, fiancées de Satan*, Paris, Gallimard, coll. « Découvertes », 1989.

SCHMITT PANTEL, Pauline, « La création de la femme : un enjeu pour l'histoire des femmes ? », *in* Jean-Claude Schmitt (dir.), *Ève et Pandora. La création de la femme*, Paris, Gallimard, coll. « Le temps des images », p. 211-232.

VIDAL, Catherine et BENOIST-BROWAEYS, Dorothée, *Cerveau, sexe et pouvoir*, Paris, Belin, 2005.

WEIBEL, Nadine B., *Par-delà le voile. Femmes d'Islam en Europe*, Bruxelles, Complexe, 2000.

Le travail des femmes

AUDOUX, Marguerite, *Marie-Claire* (1910), Paris, Grasset, coll. « Les cahiers rouges », 1987.
–, *L'Atelier de Marie-Claire* (1920), Paris, Grasset, coll. « Les cahiers rouges », 1987.
CLARK, Linda L., *The Rise of Professional Women in France. Gender and Public Administration since 1830*, Cambridge University Press, 2000.
CLAVERIE, Élisabeth, et LAMAISON, Pierre, *L'Impossible Mariage. Violence et parenté en Gévaudan*, Paris, Hachette, 1982.
DOWNS, Laura Lee, *L'Inégalité à la chaîne. La division sexuée du travail dans l'industrie métallurgique en France et en Angleterre*, Paris, Albin Michel, 2002.
FOURCAUT, Annie, *Femmes à l'usine dans l'entre-deux guerres*, Paris, Maspero, 1982.
GARDEY, Delphine, *La Dactylographe et l'Expéditionnaire. Histoire des employés de bureau (1890-1930)*, Paris, Belin, 2001.
GUILBERT, Madeleine, *Les Fonctions des femmes dans l'industrie*, Paris, Mouton, 1966.
KAUFMANN, Jean-Claude, *La Trame conjugale. Analyse du couple par son linge*, Paris, Nathan, 1992, Pocket, 1997.
–, *Le Cœur à l'ouvrage. Théorie de l'action ménagère*, Paris, Nathan, 1997, Pocket, 2000.
–, *Casseroles, amour et crises. Ce que cuisiner veut dire*, Paris, Armand Colin, 2005.
KERGOAT, Danièle, *Les Ouvrières*, Paris, Syros, 1982.
MAGLOIRE, Franck, *Ouvrière*, La Tour-d'Aigues, L'Aube, 2003.
MARTIN-FUGIER, Anne, *La Place des bonnes. La domesticité féminine à Paris en 1900*, Paris, Grasset, 1979, 1985.

–, *La Bourgeoise. Femme au temps de Paul Bourget*, Paris, Grasset, 1983, 1988.

–, *Comédienne. De Mlle Mars à Sarah Bernhardt*, Paris, Seuil, 2001.

MARUANI, Margaret, *Les Syndicats à l'épreuve du féminisme*, Paris, Syros, 1979.

–, *Travail et emploi des femmes*, Paris, La Découverte, coll. «Repères», 2000.

OMNÈS, Catherine, *Ouvrières parisiennes. Marchés du travail et trajectoires professionnelles au XXᵉ siècle*, Paris, EHESS, 1977.

OZOUF, Jacques et Mona, *La République des instituteurs*, Paris, Gallimard, 1992.

PINTO, Josiane, «Une relation enchantée : la secrétaire et son patron», *Actes de la recherche en sciences sociales*, nᵒ 84, septembre 1990, p. 32-48.

SCHWEITZER, Sylvie, *Les femmes ont toujours travaillé. Une histoire de leurs métiers, XIXᵉ - XXᵉ siècle*, Paris, Odile Jacob, 2002 (une synthèse claire et informée).

SEGALEN, Martine, *Mari et femme dans la société paysanne*, Paris, Flammarion, 1980.

SCOTT, Joan W. et TILLY, Louise, *Les Femmes, le Travail et la Famille*, Marseille, Rivages, 1987 (trad. de l'américain, 1978).

Femmes dans la Cité

BENSTOCK, Shari, *Femmes de la rive gauche, Paris, 1900-1940*, Paris, Des femmes, 1987.

BIRKETT, Dea, *Spinsters Abroad : Victorian Lady Explorers*, Oxford, Blackwell, 1989.

BLANC, Olivier, *Marie-Olympe de Gouges, 1748-1793. Une humaniste à la fin du XVIIIᵉ siècle*, Paris, René Viénet, 2003.

BOUVIER, Jeanne, *Mes Mémoires ou Cinquante-neuf années d'activité industrielle, sociale et intellectuelle d'une ouvrière (1876-1935)*,

1936, nouvelle édition par Daniel Armogathe et Maïté Albistur, Paris, Maspero, 1983.

BRIVE, Marie-France (dir.), *Les Femmes et la Révolution française*, Toulouse, Presses universitaires du Mirail, 1991.

CAPDEVILA, Luc, ROUQUET, François, VIRGILI, Fabrice et VOLDMAN, Danièle, *Hommes et femmes dans la France en guerre (1914-1945)*, Paris, Payot, 2003 (une comparaison des effets des deux guerres sur les rapports de sexes).

CHARLES-ROUX, Edmonde, *Un désir d'Orient. Jeunesse d'Isabelle Eberhardt*, Paris, Grasset, 1988.

COLLIN, Françoise, *L'homme est-il devenu superflu? Hannah Arendt*, Paris, Odile Jacob, 1999.

CORBIN, Alain (dir.), LALOUETTE, Jacqueline et RIOT-SARCEY, Michèle, *Femmes dans la Cité, 1815-1871*, Grâne, Créaphis, 1997.

COSANDEY, Fanny, *La Reine de France. Symbole et pouvoir*, Paris, Gallimard, 2000.

DIÉBOLT, Évelyne, *Les Femmes dans l'action sanitaire, sociale et culturelle (1801-2001)*, publié par l'association «Femmes et associations», 2001.

FAYET-SCRIBE, Sylvie, *Associations féminines et catholicisme. De la charité à l'action sociale, XIXe - XXe siècles*, Paris, Éditions ouvrières, 1990.

FRAISSE, Geneviève, *Les Deux Gouvernements: la famille et la Cité*, Paris, Gallimard, 2000.

GAUTHIER, Xavière, *La Vierge rouge. Biographie de Louise Michel*, Paris, Max Chaleil, 1999.

GAUTIER, Arlette, *Les Sœurs de solitude. La condition féminine aux Antilles françaises pendant l'esclavage*, Paris, Éditions caribéennes, 1985.

GODINEAU, Dominique, *Citoyennes tricoteuses. Les femmes du peuple à Paris pendant la Révolution*, Aix-en-Provence, Alinéa, 1988.

GRUBER, Helmut et GRAVES, Pamela (dir.), *Women and Socialism. Socialism and Women. Europe between the Two World Wars*, New York, Oxford, Berghahn Books, 1998.

GUÉRAICHE, William, *Les Femmes et la République. Essai sur la répartition du pouvoir de 1943 à 1979*, Paris, L'Atelier, 1999.

GUILBERT, Madeleine, *Les Femmes et l'Organisation syndicale avant 1914*, Paris, CNRS, 1966.

HOGDSON, Barbara, *Les Aventurières. Récits de femmes voyageuses*, Paris, Seuil, 2002 (trad. de l'américain).

KANDEL, Liliane (dir.), *Féminismes et nazisme*, Paris, Odile Jacob, 2004, préface d'Élisabeth de Fontenay.

KOONZ, Claudia, *Les Mères-patrie du IIIᵉ Reich*, Paris, Lieu commun, coll. « Histoire », 1989 (trad. de l'américain, 1986).

LE BRAS-CHOPARD, Armelle et MOSSUZ-LAVAU, Janine (dir.), *Les Femmes et la Politique*, Paris, L'Harmattan, 1997.

LORAUX, Nicole, *Les Enfants d'Athéna*, Paris, Maspero, 1981.

–, « La cité, l'historien, les femmes », *Pallas*, 1985, p. 7-39.

–, *Les Expériences de Tirésias. Le féminin et l'homme grec*, Paris, Gallimard, 1989.

MARTIN-FUGIER, Anne, *Les Salons de la IIIᵉ République. Art, littérature, politique*, Paris, Perrin, 2003.

MAUGUE, Annelise, *L'Identité masculine en crise au tournant du siècle*, Paris/Marseille, Rivages, 1987.

MICHEL, Louise, *« Je vous écris de ma nuit. » Correspondance générale, 1850-1904*, édition établie et présentée par Xavière Gauthier, Paris, Max Chaleil, 1999.

MUEL-DREYFUS, Francine, *Vichy et l'Éternel féminin. Contribution à une sociologie politique de l'ordre des corps*, Paris, Seuil, 1996.

PERROT, Michelle, *Femmes publiques*, Paris, Textuel, 1997.

RAUCH, André, *Le Premier Sexe. Mutations et crise de l'identité masculine*, Paris, Hachette Littératures, 2000.

–, *L'Identité masculine à l'ombre des femmes. De la Grande Guerre à la Gay Pride*, Paris, Hachette Littératures, 2004.

REYNOLDS, Sian F., *Women, State and Revolution : Essays on Power and Gender in Europe since 1789*, Amherst, The University of Massachusetts Press, 1987.

SOWERWINE, Charles, *Les Femmes et le Socialisme*, Paris, Presses de la Fondation nationale des sciences politiques, 1978.

THALMANN, Rita, *Être femme sous le IIIe Reich*, Paris, Tierce, 1982.

–, *Femmes et fascismes* (dir.), Paris, Tierce, 1986.

THÉBAUD, Françoise, *La Femme au temps de la guerre de 14*, Paris, Stock, 1986.

VEAUVY, Christiane et PISANO, Laura, *Paroles oubliées. Les femmes et la construction de l'État-nation en France et en Italie, 1789-1860*, Paris, Armand Colin, 1997.

VENAYRE, Sylvain, *La Gloire de l'aventure. Genèse d'une mystique moderne, 1850-1940*, Paris, Aubier, 2002.

VIENNOT, Éliane, *Marguerite de Valois : histoire d'une femme, histoire d'un mythe*, Paris, Payot, 1993 ; rééd., Paris, Perrin, coll. « Tempus », 2006.

– (dir.), *La Démocratie à la française ou les Femmes indésirables*, Paris, CEDREF, université Paris-VII, 1996.

ZYLBERBERG-HOCQUARD, Marie-Hélène, *Féminisme et syndicalisme avant 1914*, Paris, Anthropos, 1978.

–, *Femmes et féminisme dans le mouvement ouvrier français*, Paris, Éditions ouvrières, 1981.

SUR LE/LES FÉMINISMES

Trois ouvrages généraux, dotés de riches bibliographies :

Dictionnaire critique du féminisme, sous la direction de Helena Hirata, Françoise Laborie, Hélène Le Doaré, Danièle Senotier, Paris, PUF, 2e édition, 2001.

RIOT-SARCEY, Michèle, *Histoire du féminisme*, Paris, La Découverte, coll. « Repères », 2002.

Collectif (Éliane Gubin, Catherine Jacques, Florence Rochefort, Brigitte Studer, Françoise Thébaud, Michelle Zancarini-Fournel [dir.]), *Le Siècle des féminismes (XXe siècle)*, Paris, L'Atelier, 2004.

Pour la France, nombreuses études, en particulier :

BARD, Christine, *Les Filles de Marianne. Histoire des féminismes, 1914-1940*, Paris, Fayard, 1995.

–, (dir.), *Un siècle d'antiféminisme*, Paris, Fayard, 1999.

CHAPERON, Sylvie, *Les Années Beauvoir, 1945-2000*, Paris, Fayard, 2000.

KLEJMAN, Laurence et ROCHEFORT, Florence, *L'Égalité en marche. Le féminisme sous la IIIe République*, Paris, Presses de la FNSP/Des femmes, 1989.

PICQ, Françoise, *Libération des femmes. Les années-mouvement*, Paris, Seuil, 1993.

RIOT-SARCEY, Michèle, *La Démocratie à l'épreuve des femmes. Trois figures critiques du pouvoir (1830-1848)*, Paris, Albin Michel, 1994.

SCOTT, Joan, *La Citoyenne paradoxale. Les féministes françaises et les droits de l'homme*, Paris, Albin Michel, 1998 (trad. de l'américain, 1996).

–, *Parité ! L'universel et la différence des sexes*, Paris, Albin Michel, 2005.

Pour l'Angleterre :

BARRET-DUCROCQ, Françoise, *Le Mouvement féministe anglais d'hier à aujourd'hui*, Paris, Ellipses, 2000.

–, *Mary Wollstonecraft*, Paris, Didier, 1999.

Pour l'Europe :

HOOCK-DEMARLE, Marie-Claire (dir.), *Femmes, nations, Europe*, Paris, université Paris-VII, 1995.

OFFEN, Karen, *European Feminism, 1700-1950*, Stanford University Press, 2000.

REVUES

Clio. Histoire, femmes et sociétés, Toulouse, Presses universitaires du Mirail (5, allée Antonio-Machado, 31058 Toulouse Cedex 9). 22 numéros parus (deux par an), 1995-2005 : numéros thématiques sur la plupart des thèmes abordés ici, avec historiographies, bibliographies et débats ; comptes rendus, informations ; un instrument de travail indispensable.

Archives du féminisme (informations sur les archives, les séminaires et les recherches en cours) : Christine.Bard@univ-angers.fr

Travail, genre et sociétés, La revue du MAGE, 15 numéros parus (avril 2006), éditée par Nathan jusqu'en 2004, par Armand Colin à partir de 2005.

Table

Du même auteur

Le Socialisme et le Pouvoir
(avec Annie Kriegel)
EDI, 1966

Enquêtes sur la condition ouvrière au XIXe siècle
Hachette, 1971

Les Ouvriers en grève
(France, 1871-1890)
Mouton, 1974
2e éd., EHESS, 2001

Jeunesse de la grève
Seuil, 1984 (édition abrégée)

Le Panoptique ou l'œil du pouvoir
(avec Michel Foucault)
Belfond, 1977

Femmes publiques
Textuel, 1997

Les Femmes ou les silences de l'histoire
Flammarion, 1998
et « Champs », 2001, 2012

Les Ombres de l'histoire
Crime et châtiment au XIXe siècle
Flammarion, 2001
et « Champs », 2003

Histoire de chambres
Seuil, « La Librairie du XXe siècle », 2009
et « Points Histoire » n° 477, 2013
Seuil, Beaux Livres, 2014

Mélancolie ouvrière
Grasset, 2012
Seuil, « Points Histoire » n° 485, 2014

Des femmes rebelles
Elyzad, 2014

La Vie de famille au XIXe siècle
suivi de
Les rites de la vie privée bourgeoise
avec Anne-Martin Fugier
« Points Histoire » n° 511, 2015

DIRECTION D'OUVRAGES COLLECTIFS

L'Impossible Prison
Seuil, 1980

Une histoire des femmes est-elle possible ?
Rivages, 1984

Histoire de la vie privée
4. De la Révolution à la Grande Guerre
(avec Philippe Ariès et Georges Duby)
Seuil, 1987
et « Points Histoire » n° 263, 1999

Histoire des femmes en Occident
De l'Antiquité à nos jours
(avec Georges Duby et Geneviève Fraisse)
Laterza/Plon, 1991-1992

Femmes et histoire
(avec Georges Duby)
Plon, 1993

ÉDITION DE TEXTES

Alexis de Tocqueville, Écrits pénitentiaires
Œuvres complètes, tome IV
Gallimard, 1984

Le Journal intime de Caroline B.
(avec Georges Ribeill)
Montalba, 1985

George Sand, politique et polémiques
Imprimerie nationale, 1996
rééd., Belin, 2004

George Sand
Journal d'un voyageur pendant la guerre
Bègles, Le Castor astral, 2004

Sylvain Maréchal
Projet d'une loi portant défense d'apprendre à lire aux femmes
Éd. Mille et une nuits, 2007

PARTICIPATION À DES OUVRAGES COLLECTIFS
(SÉLECTION)

« Les classes populaires urbaines »,
in Histoire économique et sociale de la France, tome IV
(Jean Bouvier dir.)
PUF, 1979

« L'air du temps »,
in Essais d'ego-histoire
(Pierre Nora dir.)
Gallimard, 1987

« Vies ouvrières »,
in Les Lieux de mémoire, tome III
(Pierre Nora dir.)
Gallimard, 1993

« La jeunesse ouvrière. De l'atelier à l'usine »
in Histoire des jeunes en Occident, tome II
(Giovanni Levi et Jean-Claude Schmitt dir.)
Laterza/Seuil, 1996

Qu'est-ce que la gauche ?
Fayard, 2017

RÉALISATION : PAO ÉDITIONS DU SEUIL
NORMANDIE ROTO IMPRESSION S.A.S. À LONRAI
DÉPÔT LÉGAL : AVRIL 2008. N° 97328-9 (2303729)
IMPRIMÉ EN FRANCE